Le mouvement immobile

Les passages cités en exergue des différents chapitres sont extraits de *La Forêt plénitude*, roman de l'auteur (© Éditions Mijade, 2013).

Ce texte a fait l'objet d'une publication antérieure sous le titre *Clés pour la paix intérieure* (Marabout, 2014)

Frank Andriat

Le mouvement immobile

Pour une méditation humaniste ancrée dans la vie

MARABOUT

À Evelyne,
qui m'apprend à vivre dans la lumière.

À Agnès,
qui a suivi, pas à pas, l'évolution de ce livre.

Sommaire

1

Je dépasse les mots qui font peur

Prière, méditation, religion, sagesse, philosophie… Beaucoup pensent que ces mots ne sont pas pour eux, qu'ils sont réservés à une élite, à celles et ceux qui ont eu la chance de poursuivre des études, de suivre des formations, souvent coûteuses.

À une époque où les églises se vident, où les gourous pullulent, où les uns et les autres vantent, *via* Internet ou autrement, des recettes de bonheur, où apparaît un marché de la psychologie, de la philosophie et de la spiritualité, il est important de pouvoir se poser, réfléchir, trouver une source que l'on entende.

Le plus beau réside dans le plus simple, il est inutile de chercher midi à quatorze heures ! Comment méditer ? Comment prier ? Comment cela fonctionne-t-il ? Devons-nous nous adresser à quelqu'un, faire le vide en nous, espérer une réponse ? Devons-nous demander ? Ne pas demander ? Allons-nous ressentir quelque chose ? Ne rien ressentir ? Est-il normal que nous ayons l'impression de jouer une comédie inutile et sans fruit lorsque nous prions ? Nos voisins de banc, qui semblent si investis dans le secret d'eux-mêmes, ont-ils un truc que nous n'avons pas ? Font-ils semblant ? S'il ne se passe rien, est-ce normal ou est-ce la preuve de la non-existence de Dieu, pour celles et ceux qui le nomment ainsi ?

Mille questions que ceux qui ont la foi disent parfois qu'il est inutile de poser. Et pourtant elles sont là, bien présentes dans l'esprit de nombreux croyants et non-croyants. Ce livre répond à quelques-unes sans aucune prétention, en toute humilité. Son objectif n'est autre que d'être un ami qui vous accompagne lorsque vous décidez de faire une pause, d'entrer en silence et d'écouter ce qui se passe en vous. Il ne donne pas de conseils psychothérapeutiques ou autres, seulement quelques pistes, un chemin de prière pour ceux qui croient, un sentier de paix pour ceux qui préfèrent n'écouter que le murmure ressourçant de la nature. Croire ou ne pas croire n'est pas la question ici. Il s'agit simplement de s'asseoir et de prêter attention à tout ce qui se passe en nous, de devenir un « accueillant », un participant au monde qui nous entoure, un observateur du moment présent. Sans rien chercher de plus, sans rien demander de plus : nous immobiliser pour écouter en nous le mouvement de la source, quels que soient le nom et la dimension spirituelle que nous donnons à celle-ci. En toute liberté. En toute sérénité.

Le livre est jalonné de passages tirés de l'un de mes romans racontant le parcours intérieur d'une jeune fille qui part en quête d'elle-même au cœur de la forêt. Elle apprend à regarder autour d'elle, à accueillir ce qui vient et, au fil des pages, sa forêt devient plénitude. Un exemple concret d'émerveillement simple. Pas besoin d'être diplômé ou ascète pour s'habiller de lumière et de paix. Il suffit de tourner son cœur dans le bon sens, celui de l'ouverture.

Ce texte peut être lu de manière chronologique, chapitre après chapitre, étape après étape, mais le lecteur peut aussi y picorer au fil de ses envies pour y dénicher des mots qui font du bien ou quelques idées qui libèrent. En fin de livre, vous trouverez un récapitulatif des étapes parcourues : celles et ceux qui veulent rapidement se remémorer le contenu du texte pourront s'y abreuver.

Bonne route sur ces sentiers de plaine et de montagne, belle promenade sur ces chemins de silence et de lumière !

2

Je prends conscience que je cours

« Je me sentais renouvelée de l'intérieur.
J'étais, au fur et à mesure de ma lecture,
remplie d'une joie libératrice, comme si,
d'un coup, je retrouvais une plage d'enfance
où rien n'est interdit, où tout exulte.
Les « tu dois faire ça, tu ne peux pas dire ça »
tombaient en poussière et je me retrouvais
dans ce qui, en moi, était le plus dénudé,
le plus libre, le plus capable de s'émerveiller,
le plus simple. »

Nous courons. Notre vie prend de plus en plus l'allure d'une folle course-poursuite où, sans cesse, nous sommes en quête du temps qui nous manque pour venir à bout du programme hyperchargé de nos journées, pour réaliser les mille activités que nous avons décidées pour nous-mêmes, pour nos proches, pour nos enfants.

Une phrase, celle d'un Africain qui lance à un Européen : « Vous avez inventé les montres, mais nous, nous avons inventé le temps. » Si vraie, n'est-ce pas ? Ce temps qui nous fait tellement défaut semble se trouver davantage dans des régions du monde où, cependant, certains nous envient. Notre existence n'a-t-elle pas l'apparence du luxe, du confort et du bien-être ? Une grande partie de nous ne peut-elle pas s'offrir tout ce qu'elle désire, tout ce qui devrait concourir à notre bonheur ?

Sans cesse tournés vers l'extérieur de nous-mêmes, vers la performance à réaliser, vers les problèmes à résoudre, vers l'autre à envier, vers l'apparence à préserver, nous avons peu à peu perdu le contact avec l'être profond qui, en nous, étouffe sous le

Cependant, les études et les témoignages l'attestent : le bonheur semble de moins en moins présent dans nos vies, et nos cœurs se fissurent, comme si, soudain, malgré tout ce que nous avons, malgré tout ce que nous faisons, nous ne trouvions plus l'essentiel : ce que nous sommes.

poids de l'espace et du temps que nous ne lui offrons plus.

Et notre vie, si occupée par les écrans qui l'envahissent, par les obligations qui l'épuisent, ne s'accorde plus à elle-même, ne se pose plus, ne s'écoute pas davantage. Tout est prétexte à une fuite en avant : les mails qui pleuvent sur nos ordinateurs, les amitiés virtuelles qu'il nous faut entretenir, nos engagements sociaux et familiaux ; même nos moments de détente, ceux où nous faisons du sport parce que nous devons en faire, ceux où nous prenons l'air parce que c'est bon pour notre corps, deviennent des prétextes à une nouvelle surcharge. Heureux sommes-nous soudain lorsque nous nous écroulons, sans plus aucun désir, devant la télé. Notre programme quotidien est bouclé et nous pouvons enfin vivre !

Mais nous ne vivons pas. Nous avalons passivement ce que l'on nous sert, ces séries bien calibrées ou ces reportages provocants, quand ce ne sont pas ces jeux d'argent qui abêtissent et ces tranches d'aventures absurdes sur des îles perdues. Nous oublions notre vie et nous tentons de trouver, par procuration, du rêve dans les existences truquées

À ce rythme, nous nous perdons.
Lorsque nous coupons le lien avec nous,
nous nous privons de la nourriture
qui nous est nécessaire pour vivre bien.

du petit écran. Nous y vivons ce que jamais nous ne vivrons et, au fil des jours et des semaines, petit à petit, nous nous éloignons de qui nous sommes, personnages plus que personnes, projections rêvées plus qu'individus réels.

Les illusions nourrissent pendant un temps, mais jamais à long terme. Et viennent les moments où notre corps n'en peut plus, où nous tombons malades, où nous déprimons, où nous partons à la recherche de ce qui, enfin, va nous remettre sur pied, sans pour cela – si nous en avons encore la force – vouloir céder sur notre agenda overbooké. Et comme nous nous soignons, en plus de tout ce que nous faisons, nous nous imposons encore une activité supplémentaire, jusqu'à l'absurde ! Quand nous perdons le sens de notre vie, nous devenons… insensés.

Il est important de retrouver un rythme qui nous sied, qui nous permet de nous relier à nous-mêmes, mais aussi à la vie, source de notre nourriture et de notre bonheur. Nous ne pouvons pas nous satisfaire d'exister en vase clos sous peine de nous rétrécir, de nous enfermer et de nous bercer d'une nouvelle illusion mortifère : celle où nous nous croyons autosuffisants et où nous nous persuadons que nous n'avons pas besoin des autres.

Si nous ne voulons pas nous enfermer dans une surenchère de réponses toutes faites, il est primordial de nous poser les bonnes questions et, pour trouver celles-ci, un temps d'arrêt est nécessaire. Cela peut prendre la forme de vacances – mais pas celles d'où nous revenons plus épuisés qu'en partant –, d'une retraite, ou simplement de petits instants de pause au fil de nos journées, des moments où nous nous offrons de nous relier, de nous accorder à nous-mêmes, de ces instants de *stand by* où notre mouvement frénétique devient enfin… immobile.

Certains, qui croient en Dieu, associent ces pauses à une prière. D'autres encore à la méditation. Chaque religion, chaque philosophie, chaque pensée humaniste propose sa vision des choses. Un point commun relie l'ensemble : il faut que nous cessions de penser à nous, il faut que nous nous tournions vers l'autre, quel qu'il soit, ami, divinité, Dieu.

3

Je regarde par la fenêtre

« Au milieu de la forêt. Je me blottis dans son silence vivant, je me transforme en une fougère fragile, en un ru enchanteur, en un chêne empereur. Tout me semble soudain si neuf, si merveilleux. »

Le mouvement immobile, la méditation, la prière ne doivent jamais être une obligation en plus de toutes celles que je m'inflige déjà. Le mouvement immobile, c'est l'instant où, en plein travail, je me tourne vers la fenêtre et où je m'imprègne de la lumière du dehors. Une pause, un arrêt sur image, une fleur de conscience. Je suis là, mais je ne suis plus là, je me suis échappé, je rêve tout en demeurant attentif à ce qui m'entoure. C'est important. Pendant ces secondes, je suis actif d'une autre manière, « contemplactif », et je me régénère.

« Mon mari est absent ; il est parti dans les champs pour regarder l'herbe pousser. » L'agricultrice qui prononçait cette phrase souriait et, pour rien au monde, elle n'aurait donné l'adresse du champ où son époux avait trouvé refuge. « Regarder l'herbe pousser » : la formule est belle et elle résume tout. À différents moments de la journée, me déconnecter, ne rien faire pour mieux être, pour prendre conscience, en toute simplicité, sans effort superflu, que le monde

Prière, méditation,
mouvement immobile : des actes simples
que je peux poser dans mon quotidien
sans devoir apprendre des formules
ou des manières d'être toutes faites.

m'entoure. Non, il n'y a pas que moi, le monde m'entoure et, mieux encore, j'en fais partie !

L'homme qui s'en va ainsi se ressourcer sur une colline ou dans un champ pourrait tout aussi bien s'asseoir sur une dune et regarder la mer, ou dans une ville, sur un banc, dans un square, en plein Londres ou en plein Paris. Les gens vont et viennent, courent, sont hors d'eux-mêmes, tout tendus vers mille et un objectifs plus importants que leur bonheur, et lui, « contemplactif », sans les juger, les mépriser, les envier, entre simplement dans son silence et se retire du mouvement pour, immobile, le contempler et s'en nourrir.

Nous sommes souvent tellement plongés dans nos activités, nous vivons si fréquemment le nez dans le guidon que nous ne voyons plus la route sur laquelle nous avançons. Relever les yeux, regarder par la fenêtre, ouvrir l'espace, notre espace, et prendre conscience, petit à petit, sans forcer, du monde auquel nous participons si peu, prendre conscience de la réelle présence des autres et ne pas nous fixer uniquement sur leur

Lorsque je prends conscience de ce Nous,
je me relie à l'autre, je vois l'altérité,
et j'abandonne, pendant un moment,
la pression égocentrique qui ramène
vers moi tout ce que je vis
et qui y génère un stress sans fin.

aspect utilitaire : la personne qui me fait face est plus que ma secrétaire ou ma directrice, plus que mon collègue ou le concierge… Chacun participe au grand « Nous » qui compose l'humanité, et chacun y a une valeur égale.

Le « Nous » – la conscience du « Nous » – libère. Je ne suis plus seul, je participe à un grand tout, je m'y abandonne et ça ouvre en moi une nouvelle amplitude, ça crée de l'apaisement. Je n'ai rien fait pourtant, rien d'autre que de regarder, pendant quelques secondes, par la fenêtre. J'ai lâché prise en toute conscience, j'ai habité le regard que je posais sur les êtres et sur les choses qui m'entouraient sans produire le moindre effort pour cela : il a suffi de me laisser être. Lorsque je me fais accueillant, le monde s'offre à moi et ma vie se remplit de cadeaux.

Le moineau qui virevolte de l'autre côté de la vitre m'amuse, la lumière du soleil qui se réfléchit contre la façade de l'immeuble d'en face m'interpelle, la collègue qui passe ses doigts dans sa longue chevelure auburn m'émerveille, le bruit même de la machine à café me ravit et, dans le ciel, l'avion qui dessine un chemin de coton en grondant prend une nouvelle consistance. Je pense aux voyageurs, aux pilotes, aux rêves qui les habitent, et l'avion devient plus qu'un bruit qui me déconcentre : il participe à mon univers et l'élargit.

Le mouvement immobile procède de l'attention que je me rends capable de porter aux êtres et aux choses qui m'entourent. Le mouvement immobile m'offre de quitter ma solitude pour entrer en communion avec la vie dont je m'abstrais si souvent, prisonnier de moi-même et de mes activités. Le mouvement immobile tourne mon regard vers l'autre, vers l'activité du monde, vers sa présence. Il est régénérateur ; lorsque je m'ouvre à l'autre, je me libère de mes prisons, je m'abreuve et, désaltéré, je peux revenir alors vers moi avec davantage de plénitude.

Être de temps en temps inactif tout en demeurant conscient est donc salvateur. Celui qui ne prend jamais le temps d'observer le temps qui passe perd la notion du présent et ne vit plus qu'en courant. Celui qui regarde défiler le jour avec un œil aimant a plus de sagesse que celui qui court contre la montre.

Je pars au boulot, je suis en retard, je dévale les escaliers, bouscule ma voisine sans la voir, m'excuse à peine, je cours vers le métro, je m'installe dans un coin, les écouteurs sur les oreilles, je vérifie mes mails et je téléphone déjà. Sur la banquette en face de moi, un enfant m'observe. Il n'a pas envie de devenir adulte. Ce matin, ses parents couraient aussi et ils lui ont à peine dit bonjour. Il détourne les yeux, car il a envie de pleurer. Je n'ai pas remarqué la voisine qui me souriait, si fraîche, si jolie, et qui attend depuis longtemps que je lui parle, je n'ai pas remarqué les yeux délavés du sans-abri qui me tendait la main, je n'ai pas vu l'enfant que mon attitude a fait souffrir.

Dans toute action, dans toute pensée, dans nos relations, il est primordial de prendre du recul, d'observer ce que nous vivons en faisant une pause : ça nous permet d'y voir plus clair,

Entrer en mouvement immobile
n'a rien de difficile.

Il suffit que je m'arrête
(c'est le plus difficile !),
que j'accorde ensuite de l'attention
à ce qui m'entoure.

Je retrouve ainsi le vide, je retrouve
le sens premier du mot « vacances ».

En vacance de moi,
en vacance de tout.

de nous centrer et de ressentir ce que nos actes, nos pensées et nos émotions éveillent en nous. Celles et ceux qui rêvent en regardant par la fenêtre se nourrissent s'ils prennent conscience de l'importance de cet instant, de sa saveur. Ils sont ainsi mieux reliés à eux-mêmes et offrent à leur corps un équilibre qui contribue à leur santé mentale et physique.

Lorsque je me place en *stand by*, je me donne l'occasion d'éprouver l'importance de l'autre. Le monde qui m'entoure n'est pas moi et je ne suis pas le monde. Il y a une distance entre mes activités et moi, et je n'ai pas à fusionner avec elles. Il y a entre le monde et moi un espace-temps qui m'offre, si je le désire, une plage de silence où me poser. Je suis immobile, mais j'accueille le mouvement de la vie et tout ce qui ne me ressemble pas. Cela contribue à ouvrir mon cœur et mon esprit. Si j'ai la chance de vivre dans une grande ville comme Paris, ou Bruxelles, ou New York, la terre entière est à ma portée : les couleurs, les odeurs, les saveurs, les

Tout le monde peut s'arrêter durant quelques secondes pour prendre du recul. Ce n'est pas un luxe réservé à quelques-uns ; c'est une attitude à nourrir et, lorsque je m'offre ces temps d'arrêt, je trouve des ressources en moi pour avancer plus vite ensuite !

manières d'être. En y participant ou non (c'est mon choix), je peux cependant m'en nourrir, libéré des barrières de mon petit monde, de ma prison dorée. Les autres, leur joie ou leur misère, peuvent m'interpeller, m'émouvoir, m'offrir de retrouver mes émotions, ma spontanéité, cette curiosité que j'avais, enfant, lorsque je voulais tout savoir du monde. Et si je vis à la campagne, dans un village perdu, c'est la même chose : l'autre et le regard ouvert que je porte sur lui sont la clé qui me libère de mes idées toutes faites, de mes enfermements.

4

J'apprivoise mon ego

« Peu à peu, le silence du lieu m'a envahie
et m'a rendue plus attentive.
Au début, les bruits de ma tête
me coupaient de la vie. Grâce à la solitude,
une atmosphère nouvelle m'habite :
je suis devenue curieuse de tout et,
lorsque je tressaille, ce n'est plus de peur,
mais d'appétence. »

Mon ego est mon pire ennemi, et il faut que je l'apprivoise pour apprendre à m'en libérer. Il est fin, invisible, presque transparent, malin au point souvent d'en devenir diabolique. Il m'offre de croire que je suis le maître de ma vie – la pire des illusions ! Sans cesse présent dans mon mental, il participe à mon être de chair, à mes émotions, à mes pensées les plus intimes, et il me demande au quotidien de le nourrir, de le personnifier. Souvent, sans que j'en aie conscience, il me dicte mes actes, mes paroles, mes gestes, il m'inspire mes choix et mes décisions les plus importantes, m'offrant mille raisons éblouissantes de le servir et d'être avec lui pieds et poings liés. Sa meilleure astuce : me faire croire que ce que je réalise pour lui, c'est pour mon épanouissement que je le fais. Je suis à son service en croyant être au mien !

Le mouvement immobile et la méditation l'agacent, car c'est seulement dans les moments d'attention, de contemplation, que l'ego est mis à mal. Je me délie alors de lui, je me reconnais une source, la vie qui me nourrit, je m'abandonne

L'ego, c'est moi,
tout ce qui me ramène à ma personne,
à mes préoccupations, à mes activités.

Il me permet certes d'aller de l'avant,
mais il me freine aussi, me réduit
lorsqu'il me fait croire
que le monde, la vie,
se résument à ma petite personne.

au moment présent. Le passé cesse de freiner mes pas et le futur ne me pousse plus à courir. Lorsque je lâche prise, l'ego est le premier à qui je fais défaut, et ça le met en rage : tentez donc de ne penser à rien, de faire le vide, et vous remarquerez combien alors mille pensées folles vous agitent, combien mille désirs deviennent soudain plus urgents à vivre les uns que les autres. C'est l'ego qui crie, qui tente par tous les moyens de me ramener à lui, pour me distraire du silence qui, inévitablement, me conduit vers des espaces de la vie auxquels il n'a pas accès.

L'ego me pousse toujours vers l'extérieur de moi-même ; il est le moteur d'une partie de ma vie, celle qui me met en mouvement, qui me fait rêver à mieux, qui me pousse à prendre des initiatives, et c'est bien dans la mesure où, en conscience, je peux m'offrir des moments de pause, de silence. Le but de l'ego est de toujours m'entraîner plus loin, plus haut, plus brillamment, mais chaque acte posé au nom et au cœur de l'ego n'est pas habité. L'ego construit son

La vie ne se résume pas à moi ;
elle est ailleurs, toujours en avant de moi,
en profondeur de moi, en lumière de moi.

Si je ne songe qu'à mon profit,
je vis dans l'horizontalité, sans m'élever,
sans tourner les yeux vers l'autre.

Lorsque je prends conscience de celui-ci,
je m'installe dans la verticalité.

existence de désir éphémère en désir éphémère et, ainsi, il me détruit. Prisonnier du passé et adepte du futur qui, tous deux, le guident, il me coupe de la source que je ne peux entendre qu'en me reliant au présent. Même s'il fait partie de moi, même s'il est le déclencheur du feu qui anime la plupart de mes actes, l'ego n'est pas le déclencheur de ma vie.

Prenons un exemple et considérons, durant un instant, la vie des puissants de ce monde. Beaucoup ne vivent que pour eux, dans leur univers protégé. Ils ont déjà tout, mais ils veulent encore plus, au mépris de toute sagesse, de tout partage. Centrés sur eux et sur leurs possessions, ils n'imaginent même pas que leurs actes ont des conséquences redoutables et que des populations entières en sont les victimes. Ou, quand ils le voient, ils détournent les yeux. Reconnaître, avec humilité, qu'ils exagèrent, qu'ils se sont trompés, est au-dessus de leurs forces, car ils sont prisonniers de l'image qu'ils ont d'eux-mêmes et du personnage brillant qu'ils

Je m'assieds (ou je m'agenouille),
je m'installe dans la prière,
dans la méditation.

Je n'ai rien à faire, simplement à être là,
à prendre conscience qu'il n'y a pas que moi
et que je peux me raccorder aux énergies
de l'univers, à Dieu pour celles
et ceux qui croient.

doivent entretenir pour ne pas être confrontés au néant et à eux-mêmes.

L'ego m'offre l'illusion de pouvoir vivre heureux, mais, si je ne suis que lui, je demeure dans l'horizontalité. De pensée en pensée, d'acte en acte, de désir en désir, de satisfaction en satisfaction, de petite joie en petite joie. Parce qu'il ne peut être qu'horizontal, l'ego morcelle mon existence d'éphémère en éphémère et n'est qu'une illusion qui m'empêche de voir la vie dans son éternité, dans sa verticalité. Avec l'ego, je ne vis qu'avec moi : je ne regarde pas par la fenêtre, je ne regarde pas l'herbe pousser.

Le mouvement immobile et la contemplation active qu'il génère me donnent accès à la verticalité. D'obscure, ma vie peut devenir lumière. De solitaire, elle peut être accompagnée. Je suis l'arbre qui retrouve ses racines et qui tend ses branches vers le ciel : en terre sans être enterré, car tourné tout entier vers la lumière. Le mouvement immobile, en me dégageant de mon ego, me complète : en me tournant vers ce qui

Il n'y a rien à demander,
rien à marchander surtout.
Il y a simplement à être là.

me dépasse, vers l'autre, je m'associe à plus de vie, je me verticalise et je m'intériorise.

Le mouvement immobile crée une interaction entre le monde et moi, un dialogue, une conscience : je suis l'enfant de la Vie, l'enfant du monde, et le regard que je pose sur les êtres et sur les choses, le regard contemplatif qui ne cherche pas à capter l'autre, à le capturer, mais qui est simplement présent, devient un regard qui me nourrit en plénitude.

L'ego est frère du désir, de la puissance et du pouvoir. Comme un pauvre petit diable qui cherche sans arrêt à se soulever plus haut qu'il n'est couché. Le mouvement immobile, au contraire, est frère de l'amour et du don. Lorsque je me mets en *stand by*, en prière, lorsque je regarde par la fenêtre, je m'offre sans chercher mon intérêt, et c'est seulement lorsque je m'offre que je me mets en état de recevoir. Si j'offre pour recevoir, c'est que j'ai envie de prendre, et alors je n'offre rien. Regarder par la fenêtre, c'est simplement devenir capacité aimante, m'offrir à ce qui se passe de l'autre côté de la fenêtre. Sans désirer et sans chercher de résultat.

L'ego ne m'aime pas lorsque je lui échappe, et il invente mille astuces pour me reprendre, pour me capter, pour me séduire. Il me rappelle mes rendez-vous, me fait songer aux formes généreuses de la jolie jeune femme croisée dans la rue, aux mots méprisants captés la veille au boulot, à tous ces détails qui minent nos vies au quotidien et qui les rendent parfois si amères. L'ego ne fait pas dans la dentelle : plus je m'éloigne de lui, plus il se rapproche et fait son intéressant. Il n'attend qu'une chose : que j'entame la lutte avec lui, car, alors, il sera vainqueur. La prière m'apprend à demeurer sans réponse, à agir plutôt qu'à réagir, à choisir entre l'ego et moi.

5

Je me tourne vers les cieux

« Depuis que je suis seule dans la forêt,
je m'adresse à Dieu et à ses créatures.
Je découvre un ami, un interlocuteur,
un compagnon, un proche.
L'Intime me parle à travers le chant
d'un oiseau et à travers les mots
que mon auteur fétiche brode
avec son stylo. »

Grâce au mouvement immobile, je suis actif tout en demeurant paisible. Me battre avec l'ego ne me conduirait à rien, car ce serait lui répondre, donc lui donner de la force et de la valeur. Lorsqu'il se rend présent à nous, le diable attend toujours que nous entamions la conversation avec lui. Celui qui nous agresse espère une réplique pour avoir une raison de nous agresser plus encore et pour créer une bulle de violence et de déni de soi. Prenons un exemple : lors d'une dispute, l'un et l'autre désirent avoir raison. Chaque argument entraîne une réponse, une réaction, et le feu monte jusqu'aux insultes, voire aux coups. Il y a un moyen tout simple de faire cesser la colère, de s'en retirer : se taire. Ainsi, par un acte volontaire et à la portée de tous, nous sortons du mental, nous n'alimentons plus le feu et, si nous avons un peu d'humour, nous pouvons même rire des bêtises que nous proférions et de l'attitude que nous avions. Quand nous sommes en colère, ça vaut la peine de nous regarder dans un miroir : le personnage que nous y voyons est tellement ridicule que nous préférons nous calmer tout de suite !

Pour couper l'énergie de la colère,
il me suffit de me taire.

Je cesse ainsi d'alimenter le feu
et la violence.

La non-réponse permet
de faire baisser la pression.

L’ego procède de la même manière que notre interlocuteur en colère ; il nous houspille jusqu’à l’épuisement, mais la non-réponse tranquille, posée brique après brique, pas après pas, souffle après souffle, éloigne l’ego et ses sarcasmes. L’ego est toujours perdu devant une joue qui s’offre, mais il devient gagnant lorsqu’un poing se serre. Il attend de moi un seul type de réponse : la violence. L’ego est incapable de donner de l’amour, il ne cherche qu’à le capter pour lui, pour se gonfler d’importance et, ainsi, il me coupe du lien que je peux avoir avec la vie, avec Dieu.

Lorsque je me laisse entraîner par un élan vertical, je passe à ce que certains appellent « un autre niveau de conscience ». Pour cela, pas besoin de mille exercices réservés à une élite, de stages dispendieux où je deviens l’esclave d’un gourou, de prières forcées et autoflagellantes. Il me suffit de prendre conscience que je regarde par la fenêtre, que j’ai tourné les yeux vers l’autre, vers tout ce qui construit la vie et qui ne m’appartient en rien. La vie ne m’appartient

Les cieux sont ce qui me dépasse,
tout simplement.
Et non un paradis inaccessible
réservé aux meilleurs, aux élus.

J'atteins les cieux lorsque je suis capable
de me reconnaître très bas
et que je tourne les yeux vers le très-haut.

Et pour celles et ceux
qui ne croient pas en Dieu,
le très-haut peut être le paysage
qui les entoure
ou le sourire de la personne
qu'ils croisent dans la rue.

jamais, j'y participe. Les cieux ne sont pas réservés à quelques-uns, et surtout pas à celles et ceux qui croient les mériter plus que les autres. Les cieux, c'est l'offrande que je fais de moi à ce qui se passe de l'autre côté de la fenêtre, la conscience que j'ai que la vie existe en dehors de moi et le désir de cette vie que je cultive. L'herbe qui pousse murmure amoureusement au soleil : « Fais de moi ce que tu voudras, je m'abandonne à ta lumière. »

Le véritable désir ne cherche pas à se remplir ; il cherche à toujours mieux s'offrir à l'autre, qu'il reconnaît comme antérieur, comme plus grand que lui. La verticalité n'est pas un acte de soumission, c'est un acte d'abandon, une envie joyeuse d'envol et de lumière, c'est un acte de foi et d'amour.

L'ego me rend triste, car l'ego me réduit. L'ego m'oppresse, l'ego met en lumière ce que je ne suis pas, ce que je ne possède pas, ce dont je suis incapable, car, prisonnier de l'ego, je ne cesse de me comparer aux autres, et donc de voir ce que je crois qu'ils ont, qu'ils sont de plus que moi. Dans l'éternel présent du mouvement immobile, je fais l'expérience – ce ne sont pas des pensées, mais une expérience ressentie – que peu importe ce que je suis, puisque je me reconnais dans les mains de la vie, dans le cœur de Dieu, dans la lumière : le grain de poussière se métamorphose en grain de joie.

Les cieux sont accessibles, même si le chemin jusqu'à eux passe par un moment de vérité intense : tant que je m'accroche à moi, je ne peux pas voler. On ne négocie pas avec les cieux, on s'y abandonne. Quand la confiance ouvre la fenêtre, toutes les senteurs du monde peuvent pénétrer dans ma demeure. L'ego, lui – l'ego mais aussi les gourous –, me fait croire qu'il existe des expériences qui ne peuvent être atteintes que par quelques-uns. Le monde et la vie sont à tous, et ceux qui affirment le contraire sont des voleurs d'âme et d'espérance. Jésus, Bouddha et d'autres ne sont pas venus pour une élite, mais pour chacun de nous, pour les plus petits, et ils n'ont établi aucune différence entre les riches et les pauvres, à un détail près : pour croiser leur chemin, les riches et les puissants ont reçu comme premier message de d'abord se dépouiller d'eux-mêmes.

Si je vis montre au poignet, ayant divisé mes journées en mille projets de réussite, de pouvoir et d'argent, je me coupe du mouvement immobile et de la gratuité, je m'éloigne de la porte étroite qui ouvre sur les jardins de l'être, tout simplement parce que je ne la vois pas, parce que je m'empêche de la percevoir.

Les cieux sont des champs grands ouverts où chacun peut courir à perte de joie, mais pour les atteindre, il est important que je me défasse des vêtements de l'ego qui me couvrent d'une carapace énorme. Celles et ceux qui sont en recherche le savent, et ils expérimentent mille et une techniques pour se débarrasser des boulets qui entravent leur vie, pour se libérer de cet ego démoniaque. Malheureusement, ils le renforcent

Comment reconnaître
un mouvement sectaire ?

Le gourou ramène toujours à lui,
à ce qu'il sait et que je ne sais pas.

Jésus ne ramenait rien à lui,
mais tout à son Père, à la Vie.

Bouddha nous conduit
sur un chemin de lumière.

Il est important de ne pas suivre
ceux qui « empochent » les dieux et les sages
et qui les mettent au service
de leurs intérêts !

le plus souvent parce que, tout en cherchant à être simples, ils perdent le chemin de la simplicité.

Les cieux sont la résidence de la vie qui me dépasse, de ce qui est plus grand que moi, de ce qui me transfigure. Pourtant, ces cieux sont en moi, dans mon intimité la plus profonde ; pour les rejoindre, il faut donc me mettre à l'écoute, couper le moteur de mon existence boostée, entrer en silence, en immobilité : le mouvement est là, souterrain, qui me porte et dont j'ai si peu conscience, le mouvement vital comme les battements de mon cœur. Immobile et paisible, dans une prière d'abandon, dans une méditation fleurie de lâcher-prise, je deviens le mouvement de l'onde vive, de la rivière qui me conduit aux cieux, à la mer de tous les possibles.

Si j'observe la voûte étoilée, je suis
confronté à l'immense et à l'infini.

Si, à l'aide d'un microscope,
j'examine une cellule de ma peau,
je découvre l'infini en moi.

Lorsque je médite, lorsque je prie,
j'entre en intimité, en résonance
avec le mouvement de l'univers :
je chemine vers les étoiles et je voyage
dans la galaxie de mon corps.

6

Je nomme et je fais exister

« Plus je vous fréquente, plus je vous apprécie. Vous êtes, mon Intime, si différent des gens brillants que je côtoie. Si je devais trouver un mot qui vous qualifie, je vous appellerais *Velours*. Ça vous va bien. C'est caressant, parfois un peu rugueux comme la vie que l'on gaspille. *Velours*. C'est le nom d'un chat, c'est le nom d'un doux mystère. Vous êtes mon Dieu et je vous aime. »

Lorsque je m'offre du temps et que je regarde par la fenêtre, après m'être libéré des ragots de l'ego («Tu gaspilles de précieuses minutes», «Si tes amis te voyaient», «Que fabriques-tu là?», «Il y a bien plus utile à faire...»), je me surprends à savourer ce qui m'entoure. Nous accordons si souvent peu d'attention à notre environnement, nous sommes si souvent des chevaux de course avec leurs œillères pour ne pas dévier de l'ornière qu'est devenue notre vie. Comme dans les mises en situation imaginées par les pédagogues, nous nous fixons des objectifs à atteindre sans plus considérer la réalité où nous sommes, et nous nous évaluons sans cesse pour vérifier si nous «performons», si nous suivons la route dont nous avons tracé les plans. Nous allons droit en enfer, car ce que nous sommes importe alors beaucoup moins que ce que nous faisons.

J'observe paisiblement les êtres et les choses qui m'entourent et, parce que je m'offre le temps de les contempler, je retrouve la faculté de les nommer. Une rose, un porte-plume, mon porte-documents, Évelyne qui entre dans la

J'accueille la vie, c'est tout.

Lorsque je fais des plans et que j'ai pour seul but de réaliser mes objectifs, j'enferme la vie dans un tiroir.

pièce, Marc qui me tend la main, Agnès qui me sourit… Lorsque je nomme l'autre, j'entre en relation avec lui, je donne de la réalité à son existence et j'ajoute de la saveur à la mienne. Quoi de plus triste que de vivre dans l'anonymat, dans une espèce de gris où rien ne se différencie de rien ? Le nom que je pose sur les objets, celui qui distingue les femmes et les hommes qui partagent mon quotidien, dit qu'ils existent, qu'ils possèdent une personnalité propre et que je fais le choix de remarquer qu'ils sont près de moi. En nommant l'autre, je me rends proche de lui, je regarde par sa fenêtre.

Un exemple simple qui peut modifier du tout au tout mes relations avec les autres. Le « Bonjour, ça va ? » que je prononce lorsque je croise un voisin, une collègue, un ami, peut très simplement devenir un « Bonjour, Catherine. Comment vas-tu ? », « Bonjour, Lionel, tu as bien dormi ? » Rien de très compliqué et pourtant ça change tout. La personne nommée prend de la consistance, de

Je change le monde
lorsque je nomme quelqu'un,
que je fais exister
lorsque je lui dis « tu ».

l'existence, et elle me le rend bien en me répondant à moi et non de façon anonyme.

Le mouvement immobile m'offre d'être avec mes amis lorsque j'ai la chance de partager un moment avec eux. Je les écoute, je les entends, je me rends présent à leur existence. Voilà une manière d'être tellement simple que beaucoup d'entre nous sont incapables de la vivre aujourd'hui. Nous sommes avec notre portable sans être présents à notre voisin, nous nous adressons à lui par écran interposé, nous coupons soudain la conversation que nous avons avec lui parce que la sonnerie de notre téléphone nous distrait, nous zappons de présence en présence, sans n'être plus présents à personne ni à rien. Nous choisissons de croiser tant de gens que, étourdis, nous ne savons plus qui nous avons vu et l'épuisement généré par ce vide de relation nous conduit à accuser la vie de nous porter préjudice, d'être insupportable.

Le temps de notre passage sur terre n'est pas infini, il est même très bref, et nous avons un talent particulier pour le laisser couler entre nos doigts sans le chérir, sans le bénir. Nous préférons la performance à la rencontre : de quoi est riche celui ou celle qui a des centaines, voire des milliers d'amis sur les réseaux sociaux alors que, dans la vie réelle, il se retrouve tout seul devant l'écran de son ordinateur à converser avec des ombres ? Comment puis-je nommer quelqu'un que je ne connais que virtuellement ? Comment puis-je réellement entrer en relation avec lui sans le rencontrer, sans le ressentir, sans me laisser émouvoir par sa présence ? Les réseaux sociaux rendent identiques les rencontres, qui sont pourtant toutes particulières. Si je place un écran entre l'autre et moi, je n'entre plus en relation avec lui.

Nommer l'autre, c'est lui prouver qu'il existe, c'est le placer dans la lumière. En me tournant vers l'autre et en lui accordant de l'attention, je brise les chaînes qui m'enferment et qui ramènent tout à moi. Oublions les « Ça va ? Oui, ça va. Et toi, ça va ? », petits pets de souris prononcés en coup de vent. Le fait même de nommer l'autre, d'avoir des égards pour lui, m'élargit. Je ne suis jamais autant libéré que lorsque je cesse de tout centrer sur ma personne. Et l'autre dont on a prononcé le nom dit souvent le nôtre en retour. La relation s'établit, les mains se serrent, de nouveaux liens peuvent se tisser.

Ah ! si nos politiques qui se chamaillent, nos religieux qui demeurent sourds les uns aux autres, nos patrons et nos syndicats qui ne réussissent pas à s'entendre pouvaient, avant de songer à se défendre, à se protéger, d'abord écouter en toute humilité ce qu'ils ont à se dire ! Ah ! si les uns et les autres, nous pouvions cultiver une meilleure qualité d'accueil !

Si je suis capable de constater ce qui dysfonctionne chez autrui, je me dois en toute honnêteté de reconnaître que, souvent aussi, ça dysfonctionne en moi. Je ne peux pas changer le monde, mais je peux m'améliorer, m'ouvrir davantage, devenir, dans mon quotidien, un méditant en action, et ramener ainsi les fruits de ma prière, de mon recueillement, dans le concret le plus tangible.

Dans ces cieux
que je désire atteindre,
je dois savoir
que je ne serai pas seul.

Si je regarde par la fenêtre, je prends évidemment le risque de la rencontre, et celle-ci me renverra indubitablement à moi-même, à mes faiblesses, à mes limites et à mes peurs. Lesquelles ne sont que des fruits de l'ego qui refuse de céder la place, qui me fait croire que si je m'abandonne à ce qui me dépasse, je me perds, et sans cesse, compulsivement, je cherche à serrer les rangs, à construire des remparts, à monter des tours pour que l'autre, avec ses différences, ne m'atteigne pas, ne risque pas de me remettre en question.

Dans de nombreux cas, ce ne sont pas des êtres humains qui se rencontrent, mais des tours de garde qui se croisent, chacun demeurant sur la réserve, méfiant, prêt à l'agression, sans empathie. Nommer l'autre, c'est lui faire sentir qu'il est le bienvenu dans ma sphère personnelle, qu'il est mon invité et que, en tant qu'invité, je l'honore. Le mouvement immobile et la prière m'ouvrent à l'autre parce qu'ils me font redécouvrir les perles de la patience et de l'émerveillement. Paisible, j'observe la vie qui m'entoure et je la redécouvre. Oh ! une hirondelle ! Oh ! un coucher de soleil !

Nommer l'autre,
le faire un peu plus exister
dans mes relations quotidiennes,
c'est finalement si simple
et ça embellit le monde.

Oh ! un orage qui s'annonce ! Lentement, je retrouve le sens de la beauté et je prends conscience que je me laisse trop fréquemment absorber par des énergies nuisibles dont j'ai fini par ne plus remarquer l'existence parce que je ne vois plus rien.
Lorsqu'il prie, le croyant s'adresse à son dieu et partage avec lui ses interrogations et ses désirs. Comme avec un ami. Il nomme celui qui le transporte et qui embellit sa vie, il entre en relation. Où certains méditants cherchent à faire le vide et s'ouvrent au silence, d'autres parlent, mais il est important que cette parole soit une porte ouverte à celui à qui je m'adresse. Si je demande à Dieu de me filer les numéros gagnants du Loto ou les réponses d'un questionnaire d'examen, si je l'invoque pour gagner un match de foot ou, pire, une guerre, je suis ridicule et mortifère. On le verra plus loin dans ce texte : nommer Dieu, c'est nous abandonner à lui sans mesure, et non pas rechercher notre intérêt. Je nomme l'autre pour le faire vivre, pas pour en tirer profit !

7

Je m'émerveille et je dis merci

« Le mystère du monde ne se dévoile pas
à celui qui court. Il faut s'asseoir, prendre
patience, attendre. Je n'ai jamais passé autant
de temps au repos. Tout prétexte
est bon pour vivre une pause : une souche, un
tapis de mousse, une lumière entre
les arbres, la symphonie d'une mésange,
un silence ouaté ou une ritournelle
de feuilles secouées par le vent. Un parfum,
une fleur, une mauvaise odeur même.
Je m'arrête, m'assieds, tente d'être présente
le mieux possible à ce qui advient. »

Si je survis comme un zombie, je cesse d'appréhender la réalité des choses et des êtres. Je demeure enfermé dans ma bulle égocentrique, coupé des autres, les yeux tournés vers la seule satisfaction de mes désirs, vers la réalisation de mes projets. En nommant la vie qui m'entoure, je me relie à son existence et à sa réalité, belle ou horrible.

Nous entendons, nous voyons tant de faits terribles au quotidien que, parfois, pour en abréger l'horreur, nous préférons ne plus y prêter attention. Nous nous coupons du réel qui nous entoure et nous nous anesthésions dans des discours autosatisfaits que nous faisons tourner en boucle. L'indifférence, même si elle est la pire des attitudes, me permet de placer une distance entre le monde et moi. J'observe les choses et les êtres sans plus les voir, sans être touché par eux, mais cette vie sans âme m'entraîne vers le néant.

Lorsque je me libère de mes œillères, le monde m'apparaît dans sa globalité : j'accueille la beauté de l'oiseau en vol, mais aussi la mort de

Si je deviens indifférent aux autres,
je finirai par l'être à moi-même
et je vivrai une existence sans sel
qui me conduira à la dépression
et au dégoût.

celui-ci échoué sur le bord de la route, j'accueille le sourire de ma voisine comme ses larmes. J'accueille ma joie de vivre et mes forces, mais je capte aussi mes peurs et mes faiblesses. Sorti de l'indifférence, je reprends contact avec la vie et avec les mille et une différences qui construisent l'univers. Ce n'est pas toujours facile, et il est important que j'apprenne à observer la lumière, même au cœur des ombres. Voir le monde en beau, c'est le regarder tel qu'il est et le laisser se transformer en nous pour le ramener à son humanité, à sa tendresse première.

Lorsque je nomme un être, lorsque je le regarde, je peux aussi prendre conscience qu'il est nuisible, qu'il cause du tort à son prochain. C'est le réel, tout simplement. Je peux choisir de rejeter cette part de moi (oui, le méchant est une part de moi, car, comme chacun, je participe au Grand Tout) ou de l'accueillir et de tenter, comme je le peux, de la sanctifier, de la transmuter en or. C'est tout sauf évident, car mon ego me souffle qu'il n'y a pas de mal en moi. Avouons que nous

Lorsque je sors de l'indifférence,
j'accueille les différences
et celles-ci peuvent me bouleverser,
me déranger.

Je dois apprivoiser l'émotion
qu'elles éveillent en moi
et demeurer ouvert à leur richesse
et à leur diversité.

avons certaines difficultés à reconnaître nos erreurs ! Nous avons peur d'être jugés et de ne plus avoir de valeur aux yeux d'autrui. Au fond, peu importent les jugements : nous seuls, face à notre conscience, savons vraiment qui nous sommes et si nous avons commis le mal. Ceux qui nous jugent ne nous renvoient souvent que la mauvaise opinion qu'ils ont d'eux-mêmes et nous agissons pareillement quand nous les jugeons.

Celles et ceux qui se nourrissent du mouvement immobile de la prière, de la méditation, qui regardent au-delà de leur ego, ont plus de facilités à négocier cette transformation du regard. Il n'y a rien à mépriser, à juger, il y a simplement à contempler ce que je vois de l'autre côté de la fenêtre, avec le plus d'humanité et le plus d'ouverture possible. Avec amour si je le peux. Comment ne pas pleurer lorsque je sais les atrocités commises lors des guerres, au Rwanda, en Irak, en Afghanistan, en Syrie et dans tant d'autres régions du monde ? Comment

Reconnaître que le méchant
est une part de moi,
c'est reconnaître ma fragilité et la sienne.

C'est aussi être confronté au fait
que je pourrais agir comme lui.

ne pas avoir le cœur retourné ? Le mouvement immobile m'offre de ressentir ces émotions-là, et elles ne sont pas agréables. M'en échapper, revenir à ma bulle pleine de bonne conscience, d'indifférence et de confort ? Si je n'ai pas le courage ni la force d'affronter certaines parts du réel, je peux bien entendu faire marche arrière. Pourquoi pas ? Il n'y a pas à me martyriser avec le malheur des autres si je suis incapable de l'accueillir, mais, petit à petit, il est bon d'ouvrir la porte de l'univers, de le laisser me rendre visite. Pour grandir, pour devenir plus capable d'empathie, pour appréhender avec plus de force ma planète dans ses diversités aiguës.

Être simplement à l'écoute, fermer les yeux et m'abandonner aux bruits, aux mots, aux émotions, aux sensations qui passent. Je suis immobile, mais en moi la vie s'agite, elle est une rivière impétueuse, un fleuve puissant, une mer qui gronde. Immobile, je développe mon regard. Je contemple la profusion du vivant qui passe à travers moi, avec ses ombres et ses

Le mouvement immobile me fait vivre
l'expérience de l'éveil
et m'offre d'apprendre à respirer
dans ce qui m'entoure.

lumières, et je sanctifie l'instant, je remercie. Chaque méditation, chaque prière est d'abord un moment où je rends grâce, où je bénis, où je remercie, où, lentement et profondément, je m'émerveille. Parce que le mouvement immobile appelle à un regard qui voit le monde en beau, il est un lieu où je peux apprendre à caresser des yeux ce que d'ordinaire je ne vois pas.

M'émerveiller de petites choses, de ces détails qui rendent le quotidien plus lumineux, m'émerveiller d'une main tendue, d'un mot gentil, d'un sourire, m'émerveiller des rayons du soleil levant dans les arbres, de l'aube encore humide de la nuit, m'émerveiller des couleurs de l'orage, m'émerveiller du chat qui s'étire de tout son long sur la pelouse…

Le mouvement immobile me rend capable de me nourrir de la beauté, de la bonté et, s'il ne me permet pas d'en faire des réserves, il exerce en moi ma faculté de convertir les ombres en lumière, le plomb en or, la douleur de la perte en douceur de l'abandon.

Plus je me rends capable de voir
mille détails de l'existence en beau,
plus je construis ma capacité
à affronter les ombres.

Si j'apprends à souhaiter le bien pour mes proches, j'apprends à ne plus cultiver le mal. L'émerveillement n'est pas une façon naïve et tendre de contempler le monde ; il est au contraire un moyen, un outil très concret que je peux utiliser pour nourrir ma verticalité et mon aspiration à me libérer des chaînes qui m'entravent.

Lorsque, petit à petit, sans forcer, je deviens capable de m'émerveiller des détails de la vie, je deviens un voyant, car je commence à voir ce que je ne voyais pas, j'élargis mon regard et ma conscience, tout simplement, sans me casser la tête. Je retrouve un regard d'enfant et le monde s'agrandit. Émerveillé, je retrouve ma spontanéité et ma faculté de dire merci.

Un petit mot qui fait tant de bien et que, à force de croire que tout nous est dû, nous oublions si fréquemment de prononcer ! Merci pour cette parole, merci pour ce regard, merci pour ce coup de main, merci pour ce sourire. Merci aussi pour ton indignation qui me ramène à moi, et

S'émerveiller, ce n'est pas être naïf.
C'est apprendre à dire merci au monde
et aux personnes qui nous entourent.

merci pour ta remarque qui m'offre de voir que je faisais erreur.

Bien entendu, je conserve mon libre arbitre, ma faculté de jugement. Il ne s'agit pas de dire merci à tout ! Je ne deviens pas un béni-oui-oui, un Candide. Je demeure moi-même, avec mes forces et mes faiblesses, ma faculté de dire non quand quelque chose n'est pas juste ; je cultive simplement une attitude, une manière d'être. Le mouvement immobile n'impose rien. Il est comme la lumière : une invitation à me tourner vers lui.

8

Je vis dans le royaume du beau

« Il parle du silence,
de l'importance du silence.
Il parle du silence qui nous conduit au plus grand des mystères. Il parle du sentiment de vide que nous pouvons éprouver lorsque nous cheminons à la rencontre de notre secret, de cette absence qui nous saisit parce que tout ce qui nous tenait en vie nous semble futile. Il dit que rencontrer cette absence est souvent une souffrance.

Il me reste à souhaiter de vivre le plus et le mieux possible dans le royaume du beau. Le mouvement immobile m'apprend à me tourner vers les cieux et, plus je regarde vers eux, plus je m'en imprègne. Il ne s'agit pas de capter quelque chose, de m'en rendre le propriétaire, il s'agit de m'imprégner, de savourer, de faire de plus en plus, de mieux en mieux partie de ce mouvement qui me conduit vers davantage de vie. Vers Dieu pour les croyants, vers un sourire, une main tendue, vers plus de fraternité, de solidarité pour celles et ceux qui préfèrent les certitudes terrestres. Vers un coucher de soleil, vers les yeux de la biche surprise dans l'aube humide, vers le regard aimant de celui ou de celle qui partage ma vie.

Les rationalistes que nous avons appris à être, les esprits scientifiques, veulent tout capter, tout expliquer, mais l'émerveillement ne se met pas en équation. Comme le traduit la belle expression québécoise, l'émerveillement nous offre de « tomber en amour », et tomber en amour, c'est

Lorsque je m'émerveille de l'autre,
je n'ai pas envie qu'il m'appartienne,
mais j'accueille en moi la beauté qui jaillit
de lui : il m'inspire, il me transporte,
et je désire participer à la beauté
qu'il m'envoie et qui m'inonde.

s'abandonner à l'autre sans mesure, c'est lui accorder toute sa confiance. Lorsque Jésus dit: «Que Ton règne vienne», il n'exprime rien d'autre que son désir de voir son Père prendre toute la place, en lui et dans le monde. Il sait que, de lui-même, il ne peut aller vers ce royaume, que l'on n'y entre pas comme on pénètre dans une maison, qu'il n'existe d'autre clef que la porte qu'il ouvre en lui pour recevoir la lumière de Dieu. Il demande à son Père de s'incarner sur la terre, en nous, et de réjouir, par Sa présence, notre chair seule et triste.

Lorsque je me tourne vers la vie qui m'éclaire, ou vers Dieu pour celles et ceux qui le nomment ainsi, je suis dans la verticalité, offert à ce qui me dépasse et aspirant à participer à cette aventure. La spiritualité, c'est le désir que nous avons tous de nous libérer du poids qui nous tire vers le bas; pour cela, il n'y a rien d'autre à faire, à être, que d'accueillir ce qui nous dépasse. Un non-croyant ouvert à la fraternité et au partage des différences est plus spirituel qu'un catholique enfermé dans ses prières comme une grenouille de bénitier ! L'important n'est pas l'étiquette par laquelle nous nous reconnaissons, mais la valeur de vie aimante que nous entretenons sous cette étiquette. Je peux me revendiquer chrétien, laïque, musulman… dans la mesure où je laisse chacun libre de choisir son identité philosophique ou religieuse. Sinon, je deviens meurtrier en niant les valeurs de l'autre et en sous-entendant (ou en affirmant) que ma croyance est meilleure que la sienne. Vivre dans le royaume du beau, c'est accepter les différences, s'en réjouir, s'en enrichir plutôt que de les stigmatiser parce qu'elles mettent mes limites en évidence.

L'ego résiste lorsqu'il comprend que nous nous ouvrons au règne de l'autre, à l'altérité, à l'amour sans mesure. L'ego est le père de mes enfermements et de mes angoisses, le père aussi de mes certitudes et de mes obstinations. Puisque le règne de la vie me dépasse et que les limites de mon incarnation me le rendent inaccessible, je ne sais pas à quoi, à qui je m'abandonne lorsque je m'offre ainsi. Ce n'est jamais moi qui accède à Dieu, c'est toujours Dieu qui accède à moi. Et pour les non-croyants, voici une métaphore : je suis dans la montagne, fasciné par les paysages grandioses qui m'entourent, par les sommets enneigés, par les crêtes enveloppées de lumière, par ces nuages qui montent du sol et qui m'offrent l'impression de voyager au-dessus d'eux, d'être ailleurs. Cette carte postale qui m'émerveille, jamais je ne pourrai la glisser dans ma poche, car j'y participe. Cette beauté vient en moi et je m'en imprègne, je m'abandonne à elle comme le croyant s'abandonne à son dieu. Les termes sont différents, mais le mouvement est identique.

Le mouvement immobile dans lequel je me tiens peut, au fil des jours, des mois ou des années, m'aider à gagner en confiance et à faire taire les mille raisons que l'ego sème diaboliquement en moi pour que je demeure cloîtré dans la sécurité factice des frontières qu'il m'impose, hors de l'éveil, soumis à son règne plutôt qu'au règne de la vie.

Le royaume du beau me transporte
hors de moi, me transforme et m'imprègne.

Il s'agit de me laisser porter simplement,
de ressentir que la beauté me fait du bien.

Une anecdote : je suis mal, enfermé dans ma souffrance et dans mes interrogations. J'ai donc la vue, le cœur et l'esprit brouillés par les soucis qui me rendent prisonnier. Je m'en plains à un ami et, souriant, il me dit : « Tu vois comme la nature est belle ? Les verts de ce printemps sont resplendissants. » Je me rebiffe, évidemment. Pourquoi ne m'écoute-t-il pas, pourquoi n'accorde-t-il pas plus d'importance à mon mal-être ? Et lui de me répondre : « Parce que tu y es si bien enfermé que tu ne vois plus rien de ce qui est beau. » Lui regardait par la fenêtre ouverte pendant que j'avais clos tous les volets du rêve.

Combien de pauvres gens, de déprimés survivent-ils, privés d'espérance, parce qu'ils refusent de recevoir ce que la vie leur offre ? Tout est mauvais, tout est inutile et rien ne peut leur apporter de la lumière. Pourtant, ils la cherchent, la quémandent, l'insultent parce qu'elle ne vient pas, la vouent aux gémonies sans savoir que, pour que la lumière pénètre dans la pièce où ils sont enfermés, il faut qu'ils en ouvrent la porte.

La voie vers la lumière est
un apprentissage de tous les instants,
dont chacun est un cadeau
qui me permet d'aller plus loin
sur le chemin de la vie.

Ce qui me dépasse est sans cesse
à côté de moi, sans cesse.

La vie ne m'abandonne jamais,
mais moi, en me cloîtrant,
je peux lui fermer la porte.

Le royaume des cieux n'est pas une forteresse que seuls les plus méritants peuvent atteindre, le royaume des cieux ne sélectionne pas les candidats. Seuls nos ego malades peuvent inventer des systèmes où il y a les forts et les faibles, les nantis et les pauvres, l'élite et la lie. Nous sommes des champions pour créer la division parce que, sans cesse, notre ego nous souffle que nous devons être plus puissants, avoir plus, faire mieux que nos voisins.

Si je m'assieds en silence en face d'un de mes semblables et que nous tournons ensemble les yeux vers le soleil, nous abreuvant de sa lumière, si nous ne savons rien l'un de l'autre, nous sommes égaux et frères, pauvres devant la grande lumière qui nous recouvre, riches de pouvoir accueillir cette fête de la vie, dans une joie que l'un et l'autre nous recevons en partage, chacun à notre manière, en toute liberté.

Il en est ainsi du royaume de la vie, où chacun est élu. Seules les sectes font croire que certains hommes sont meilleurs que d'autres, qu'un certain

Dans le royaume de la vie,
il ne s'agit pas de prendre le pouvoir :
chacun y est roi et chacun y est pauvre.

nombre sera sauvé ; seules les sectes, les gourous et les dictatures conduisent au rejet de celles et ceux qui ne leur ressemblent pas. Voilà au moins un critère pour m'éclairer, pour vérifier si le chemin que je suis est fait d'ombre ou de lumière, de haine ou d'amour. Lorsque je suis la voie des groupes qui parlent d'une vie meilleure pour quelques-uns, je sais que je me trompe de route.

9

Je me libère de ma seule volonté

« Il n’existe pas d’autre secret que celui de l’attention aimante. Ne pas être à l’affût pour prendre, pour capturer, pour emprisonner : simplement être là pour rien, être disponible sans chercher quoi que ce soit qui nous serve, devenir un réceptacle, humblement nous mettre au service de l’onde de la vie et nous y laisser glisser en une écoute aimante, joyeuse. Pour rencontrer Dieu, il faut ouvrir la porte, se perdre soi pour mieux se retrouver dans le regard de l’Aimé. »

Comment puis-je faire la part des choses ? Tant de propositions s'offrent à moi ! Si diverses, si séduisantes. Comment séparer le bon grain de l'ivraie ? Discerner le juste du mensonge ? Les termes « joie », « paix », « vie » et « simplicité » pourraient être des lumières sur le chemin, des critères, mais les mots sont trompeurs et ils peuvent prendre tant de teintes. C'est de nouveau le mouvement immobile qui peut me venir en aide. Grâce à la paix qu'il génère, il m'ouvre au discernement et à la justesse.

Je m'installe dans une pièce calme, j'accueille en moi la course des pensées folles, plus variées et plus contradictoires les unes que les autres, je les contemple avec tendresse et je savoure ce présent d'éternité où tous les plats du vivre me sont proposés, de l'étonnement à la colère, du désir à l'angoisse, de la honte à l'amour. Mouvement de vie comme celui du fleuve qui charrie tant et tant d'inattendu et de mystère en son onde. J'accueille le flot sans me laisser entraîner par lui et si, dans l'expérience, il y a quelque chose

Il n'existe pas de bonne ou de mauvaise manière de prier, de méditer, même s'il existe différentes méthodes.

L'important demeure de créer le silence en moi, de m'ouvrir au présent et de devenir capacité d'accueil.

de difficile, c'est justement de ne rien faire. Les pensées sont si agiles pour prendre le pas sur ma plénitude, pour me tenter, pour me forcer à les suivre et forger avec elles des univers qui n'ont rien à voir avec ma réalité présente : je suis assis et j'accueille ce qui se passe au-delà de ma fenêtre, au-delà de ma volonté propre.

Ce qui importe, ce n'est pas tout ce qui explose, court et virevolte en moi ; ce qui importe, c'est le silence habité qui murmure, en un souffle ténu, au-delà de mon agitation et de mon désir de tout régenter. Il est difficile de mettre en mots un état d'être qui se passe de tout commentaire, un état au-delà de la description : accueil, acceptation, silence, bénédiction. J'observe avec le plus d'ouverture possible la vie qui va, qui vient, sans forcer quoi que ce soit ; soudain, en un instant de grâce, mon regard devient ton regard, je passe de l'autre côté du miroir et je vis le monde en dehors de ma volonté propre.

Celles et ceux qui vivent l'expérience de ces instants d'éternité où l'on est transporté dans un

Lorsque la prière ou la méditation
deviennent instants de grâce,
elles échappent à toute explication
rationnelle.

L'important est l'expérience savoureuse,
pas l'explication qui, de toute manière,
ne peut conduire à l'expérience.

espace-temps différent peuvent témoigner de la difficulté à transmettre, au moyen de mots, ce qui est insaisissable. Soudain, je vis consciemment, je fais l'expérience que ma volonté n'importe pas, qu'elle est une chimère qui m'emprisonne. Cela me remplit d'une joie profonde qui me donne envie d'éclater de rire. Au-delà de moi, il n'y a pas rien, il y a tout. La joie qui m'imprègne est signe de justesse et d'amour : c'est une joie née de l'abandon, une joie du don que je n'ai pas envie de conserver pour moi, mais de semer dans le monde. La volonté qui se fait n'a soudain plus de limite et elle se répand en un murmure ailé en moi et au-dehors de moi. Je ne m'appartiens plus, car j'appartiens au monde. Le croyant fait alors l'expérience de la rencontre avec Dieu ; le non-croyant vit celle d'un élargissement de conscience, mais peut-il encore ne croire en rien quand il expérimente cela ? Il doit en tout cas reconnaître que sa raison ne fait pas tout et qu'il existe des expériences sensorielles qui dépassent ce qu'il perçoit au quotidien.

La prière n'est pas une fin en soi.
Je reviens ensuite à moi.

Bien entendu, je reviens ensuite à moi, à cette volonté qui est mienne et qui me permet de réaliser mes projets et de combler mes désirs. Elle fait partie de mon être de chair et lui offre des atouts pour poser des actes dans le concret du quotidien. Il ne s'agit pas de vivre en lévitation et de me couper des autres par l'expérience que m'offre le mouvement immobile. La prière, la méditation, l'action de grâces rendent ma vie meilleure et la nourrissent de la lumière nécessaire pour l'éclairer et pour m'aider lorsque les ombres s'accumulent. Comme le silence, tout simplement. Si je suis allergique aux mots religieux, je peux vivre l'expérience d'un ressourcement en m'offrant des moments de silence où je me libère de cette volonté propre qui fait tourner mon cerveau à plein régime. Écouter ma respiration, prendre conscience que mon cœur bat trop vite, que j'ai mal à la tête, que je n'en peux plus. Cesser de vouloir donner plus, encore et encore. Débrancher la machine, m'offrir le luxe et la liberté d'une pause dont je ne suis pas le centre. C'est un début de prière, de méditation, même si je ne le sais pas.

Ma volonté sans cesse est sollicitée
et il est bon de me poser
durant quelques minutes
et de découvrir, petit à petit,
qu'il n'y a pas que moi au monde,
qu'il y a l'autre, qu'il y a la vie
et que le plus beau que je puisse désirer
est que cette volonté-là se fasse en moi,
parce qu'elle me relie à la respiration
profonde de l'univers.

Vivre mon corps en conscience, expérimenter qu'il n'est pas une finalité propre, vivre ma volonté tout en sachant qu'elle n'est qu'un grain de sable dans l'architecture de l'univers me permettent de m'incarner, sans m'enfermer dans le sérieux, dans une volonté de puissance qui m'écrase tout en écrasant celles et ceux qui m'entourent.

Le mouvement immobile n'est pas une façon de fuir mon quotidien ; c'est une manière de l'élargir, de l'éclairer, de l'assouplir. Les instants de vie que je lui consacre m'offrent d'arrêter de courir, de faire baisser la pression et, surtout, de m'extraire du piège vers lequel conduit notre société consumériste : la satisfaction immédiate de mes désirs les plus fous. Seul importe que je consomme et que je vive à crédit, sans plus songer au bonheur de l'instant présent, qui me rassemble et me reconstitue.

10

Je participe
à la vie

« Ce matin, je me sens pleine de rien. Comme si je m'avançais dans un désert où rien ne m'émerveille et où, pourtant, je m'émerveille de tout. C'est ça qui est étrange. Je suis Virginie et je suis un chêne. Je suis Virginie et je suis le chagrin de mes parents. Je suis Virginie et je suis le pinceau de lumière qui frôle les troncs d'une caresse tiède. Je suis Virginie, je suis la lectrice de ces textes où, tout à coup, je vous rencontre. »

Lorsque, « connecté » à l'autre, j'expérimente la grande joie des retrouvailles, j'éprouve le désir de partager cette illumination, cette espèce d'orgasme cosmique. Attention de nouveau aux mots qui pourraient amener à croire à une fascinante expérience spirituelle seulement accessible à une élite ! Il ne s'agit pas de cela. La joie de la lumière se vit dans la simplicité et dans la transparence si elle est véritable, et c'est pour cela qu'elle peut se partager dans le mouvement immobile, mais aussi dans la vie courante.

La lumière, c'est toi qui me souris en me serrant la main, c'est ce jeune homme qui se lève dans le bus pour laisser son siège à une vieille dame, c'est l'oiseau pépiant au printemps, c'est la bonne nouvelle (oui, il y en a parfois !) à la télé, c'est ce morceau de pain frais beurré qui caresse mon palais, c'est la pluie d'orage qui rafraîchit une journée harassée de chaleur, tant de ces détails encore qui parsèment notre quotidien, mais que souvent nous ne remarquons plus tellement nous sommes pris par nous-mêmes. La lumière, c'est

Les mots pour exprimer l'indicible
sont toujours poétiques
parce qu'ils disent un vécu
intransmissible par la raison.
Il ne faut pas qu'ils fassent peur.

L'important ne réside pas
dans l'explication des choses,
mais dans l'expérience vive
de celles-ci.

aussi cette joie que je vis soudain, cet éclat de rire en moi, ce sentiment de repos que j'éprouve. Elle participe à la fois de l'intérieur et de l'extérieur, elle n'oppose pas, elle apaise. Elle est le lieu où corps et esprit se rassemblent, le centre de la croix, son cœur, où se rencontrent ma verticalité et mon horizontalité, le moment où je prends conscience que je peux aimer parce que je suis aimé et que je peux toucher, du bout de l'âme, à un sentiment d'éternité parce que j'expérimente que tout ce que je suis a été avant que je sois et sera après que j'ai été.

Chacun a pu vivre l'expérience suivante : je suis tellement « dans ma tête » que je n'écoute pas mon interlocuteur, tellement « dans ma tête » que je manque de me faire écraser en traversant la rue… Et lorsque les soucis s'accumulent, la méditation, la prière, le mouvement immobile semblent un luxe que je m'offrirai après avoir réglé mes problèmes. C'est là justement que le bât blesse. J'agis à l'envers. La meilleure façon d'affronter ce qui m'agresse est de prendre du recul, de m'accorder un moment de repos pour accueillir le moins mal possible, dans le silence, les remous qui me submergent. Je ramène, dans une respiration profonde et calme, le ciel sur la terre et je permets à mes terres intérieures bouleversées de voir un coin de ciel qui les guidera, qui leur soufflera qu'elles ne sont pas seules au monde et que, au-delà du tsunami qui les retourne, une eau paisible les attend.

Je ne peux pas, c'est évident – à moins d'être un saint, et encore ! –, vivre au ciel de manière ininterrompue, mais je peux apprivoiser le ciel en moi, le déguster à petits coups de langue dans le calice de silence que m'offre le mouvement immobile. Même si, dans des moments de découragement, je peux avoir l'impression que ce n'est pas gagné, que Dieu et ses anges, que la sérénité et le bonheur des sages ne seront jamais pour moi, il est important que je continue de m'offrir ces moments hors du temps où je dépose ma volonté, ma conscience d'exister, dans les mains de plus grand que moi. Il s'agit d'un acte de foi, d'une attitude de sagesse : je m'abandonne au mouvement immobile, à la rencontre que je peux y faire, au trouble et à l'émerveillement que je peux y côtoyer, à l'agacement, voire à l'énervement que je peux ressentir si mon ego prend le dessus, mais au repos aussi quand je reçois de la vie la révélation, la sensation que j'y participe. Un acte de foi est avant tout un acte de confiance, et il conduit à l'espérance. Si j'ai confiance en une personne, je crois en elle et cela ouvre dans mon cœur un espace où j'aime me retrouver, la retrouver. Le mouvement immobile est en quelque sorte une île où je suis en vacance de moi et d'où je communique avec l'univers entier.

La simplicité toujours et encore, mais aussi l'exigence du silence. Me rassembler en Dieu ou, pour les non-croyants, dans les mains de la vie, ce n'est pas m'y calfeutrer comme on boucherait toutes les issues pour se protéger des vents mauvais. Au contraire ! Me rassembler dans le mouvement immobile, c'est ouvrir toutes les portes et inviter en moi chaque murmure

Lorsque ça ne va pas, il est primordial
que je m'accorde un temps d'arrêt.

Pas dans le but de régler ce qui ne va pas,
mais avec le seul désir de prendre du recul.

Ce n'est pas me distraire de mes problèmes,
c'est m'en extraire en m'ouvrant
à d'autres aspects du vivant,
c'est ramener mes soucis
à de plus justes proportions.

du monde. Si je ne me tais pas, je ne peux rien entendre. Si je ne m'ouvre pas, je ne peux rien recevoir. La réalité, la terre, et ce qui la dépasse, les cieux, vivent en lien sous peine de mourir l'un et l'autre. La terre sans les cieux se réduirait à Sodome et Gomorrhe, les cieux sans la terre ne seraient qu'un grand espace vide sans finalité. Le but de Dieu, c'est l'homme, et sans la réponse que l'homme donne à son élan, à son souffle, Dieu n'existerait pas. Que ceux que le mot « Dieu » hérisse ne s'énervent pas ! Ressentez-vous père ou mère : votre but est votre enfant, mais si celui-ci, que vous chérissez tant, se détourne de vous et de votre amour, vous voici soudain éperdu, sans consistance et sans espoir. Vous n'existez plus parce que celui que vous aimez vous abandonne. Dieu ne peut devenir Dieu que s'il se remet, et en totalité, dans les mains de l'homme, que s'il se livre à lui pieds et poings liés, de la même manière qu'un père ou une mère ne deviennent parents que lorsqu'ils s'abandonnent à leur enfant, qui les prolongera. Quand ils croient s'opposer, croyants et non-croyants vivent en réalité des expériences

Chacun de nous a ses mots
pour exprimer ce qui le relie à la vie.

Les mots sont un peu
comme des vêtements que nous portons
pour nous distinguer des autres.

Lorsque nous sommes nus, plus de souci !
Malgré quelques différences, finalement,
nous nous ressemblons !

semblables ; chacun à sa manière, et avec ses mots, se relie à ce qui lui survit, à ce qui le dépasse, sous peine de sombrer dans la désespérance, dans l'absurde et dans le non-sens.

Le mouvement immobile m'offre de découvrir la toute-puissance de mon ego. Je peux faire taire Dieu, je peux me couper de la vie en une fraction de seconde, mais sans le lien qui donne vie, je perds le souffle et le sens. Une toute-puissance qui me conduit vers le néant, qui m'enterre. Si je m'enferme en moi, la vie n'existe plus, je la réduis et je la tue, mais sans elle je ne suis plus qu'une outre vide qui n'abreuve plus personne. Et cette vie merveilleuse, je peux la nier avec toute la force de mon être : oublier les soubresauts des mouvements de l'onde en me droguant, en buvant, en m'assommant de mille activités qui, plutôt que de me relier, me coupent du flot. Oui, je peux me mentir et vivre dans l'illusion, mais celle-ci ne nourrit pas et, un jour ou l'autre, un coup de vent détruira le château de cartes dont je suis tellement fier.

Sans le lien, sans la « reliance » entre ma terre et le ciel, je résonne comme une cymbale inutilement bruyante. Un exemple concret : j'ai un ami et je me fâche avec lui. Je ne céderai pas, il sera le premier à me demander pardon ! Au fond de moi, j'ai envie que tout s'arrange, que nous nous retrouvions, mais mon ego est le plus fort et je m'enferme dans mon refus. Je suis malheureux, mais je ne le reconnais pas. La vie ne coule plus, prisonnière de ma volonté meurtrière, et moi, tout-puissant, je ne participe plus à son flot et je me flétris. Que dire de l'ami que j'ai abandonné ? S'il ne fait pas le premier pas, s'il n'est pas plus ouvert que moi, nous nous condamnons l'un et l'autre à l'enfer, et cela de notre propre initiative, en toute liberté ! C'est aussi vrai dans les couples, dans les familles. Que de solitudes et de conflits pourraient être brisés si nous accordions plus de place à la lumière et au pardon ! Pour cela, il faut que, jour après jour, nous apprenions à mieux accueillir la vie.

11

Je deviens une capacité

« Trop souvent, même lorsqu'on est attentif
à l'autre, on n'écoute encore que soi.
Le pire, c'est qu'on n'en a pas conscience.
Et le jour où la lumière vient,
on s'étonne : on croyait être ouvert
et on n'est centré que sur sa petite personne. »

Qu'est-ce que le don ? Qu'est-ce que me donner ? Qu'est-ce que m'abandonner ? Lorsque je me donne, je m'abandonne à l'autre et ma vie devient une offrande. Me donner au mouvement immobile, c'est non seulement lâcher prise, mais encore m'offrir, m'approfondir en allant de l'avant, me vider de moi pour me rendre capable de recevoir l'autre. Devenir harmonieusement et avec élan une capacité aimante où l'autre, Dieu, la vie, l'amour, pourra verser sa cruche d'eau de source. Et plus je serai capacité, plus j'accueillerai le vivant.

Ah ! les métaphores, les mots qui trébuchent sur l'ouverture à la plénitude ! Comment décrire ce qui justement nous laisse sans voix ? Par la poésie, par une approche fleurie de tâtonnements et de mystère. La philosophie réfléchit trop et les Églises tombent souvent dans des rituels liturgiques démesurément codifiés qui coupent du souffle même de l'Esprit et qui finissent par séparer là où ils chantent la reliance. On établit des règles à propos de ce que l'on doit faire, mais

Comment faire pour m'abandonner ?
Y a-t-il un truc ?

Pas vraiment. Simplement
me laisser aller à l'autre, au silence,
à mes peurs aussi, car, inévitablement,
elles se manifesteront.

Contempler tout ce qui vient.
Prendre plaisir à me laisser être un carrefour
où mille passants circulent.
Petit à petit, ma contemplation
me conduira au cœur de l'âme
des passants.

on ne prend plus soin de ce que l'on peut être. C'est toute la difficulté de vouloir transformer en concept un effleurement de l'être, une essence. La formule du parfum de Dieu n'a pas l'odeur de celui-ci. On ne met pas le bonheur ou l'amour en équation, on le ressent. Me donner, c'est éprouver au fond de moi que j'ouvre la porte à l'autre, à ce qui me dépasse, c'est m'éclaircir et participer à la vie en plus grand.

Le mouvement immobile procède à la fois de la sagesse et de la prière, mais y a-t-il tant de différences entre l'une et l'autre ? Encore une question de mots. Le philosophe peut être un mystique, et vice versa. L'important est de ne pas m'égarer dans les définitions, mais d'éprouver comment, en vérité, je peux me tourner vers la lumière, me rassembler et me donner pleinement, car ce n'est que dans la plénitude de mon don que je peux recevoir la vie. Celle ou celui qui ne se donne pas ne se relie à rien ni à personne, et même s'il quémande plus de vie, plus de joie, il demeure fermé comme une moule mauvaise et

Prier Dieu en lui présentant la liste
de mes doléances,
ce n'est pas prier, c'est marchander.

Prier, c'est m'installer avec bonheur
auprès d'un ami que j'aime bien.

Un peu comme votre chat le soir
lorsqu'il se roule en boule
contre votre ventre.

se perd, car dans cette attitude racrapotée, il se rend incapable de recevoir quoi que ce soit.

Je ne me donne pas pour recevoir. Je me donne en plénitude et sans mesure, avec clarté, calme, silence. Parce que je suis vide de mon ego, la vie peut me remplir. Le don, c'est me dépouiller de moi et ainsi me permettre de recevoir l'autre. Ça se passe un petit peu comme avec des vases communicants : plus je me vide de moi, plus je me remplis de l'autre et ma vie s'élargit. Il est important que je prenne conscience que si je me donne avec l'idée de recevoir, je ne me donne pas. Il ne s'agit pas de thésauriser du bonheur et de la vie, il s'agit de s'abandonner en toute quiétude et en toute gratuité. Il ne s'agit pas de signer un marché avec Dieu ou avec la vie, mais de leur offrir un chèque en blanc : « Vas-y, prends tout de moi. Je t'offre ma confiance sans mesure parce que je t'aime. »

Les mystiques ont fait l'expérience qu'ils sont aimés en premier, c'est pourquoi ils cessent d'être en demande de l'amour de l'autre. Ils ont, à un moment de leur existence, vécu l'expérience de l'amour infini et du sentiment d'éternité qui l'accompagne. Le mouvement immobile me permet de prendre conscience que je suis aimé avant d'aimer, car si je ne sais pas ce qu'est l'amour, comment pourrais-je l'offrir ? Sans sa mère qui l'a choyé dans son ventre, qui l'a tenu contre son sein, l'enfant ne sait pas ce qu'est l'amour ; en l'aimant, sa mère lui transmet l'âme du monde. Petit, innocent, l'enfant n'est qu'appétence et il est proche du vivant. Lorsqu'il grandit, son éducation l'en écarte, et les règles de la vie en société, les misères de sa vie humaine, le coupent de la source première. L'enfant se donne sans mesure, mais l'adulte qu'il devient apprend la méfiance : le Un est devenu un Deux, l'être unifié est divisé. Le mouvement immobile m'offre petit à petit de retrouver l'unité perdue.

Me donner, c'est cesser d'être en demande, car j'éprouve la certitude d'être précédé en chacun de mes vœux. La vie, Dieu savent ce qui est bon pour moi avant même que je ne le souhaite : je pose un acte de foi (et ma foi me donne l'audace d'un tel acte) en me tournant vers l'autre et en lui ouvrant la porte de ma demeure intime. Les femmes, dans la relation d'amour, posent le même acte de façon charnelle et spirituelle en ouvrant les jambes de leur temple à celui qu'elles aiment, en se laissant investir par la différence, par l'étranger. Marie en est un lumineux et gracieux exemple. Se laisser pénétrer par l'autre, s'abandonner à lui, se donner démesurément pour ensuite donner la vie est toujours un acte de foi et une action de grâces. Marie a vécu Dieu dans la complétude de sa chair, elle l'a accueilli en chacun de ses pores, bien au-delà des relations que nous pouvons vivre entre femmes et hommes : que nous croyions ou non à la réalité de cette histoire, elle est un bel exemple de la femme donneuse de vie et porte étroite vers le ciel.

Lorsqu'il se transforme en don, le mouvement immobile n'est plus seulement un instant d'élection où je me vide de moi-même, un

Chacun de nous recherche à s'unifier ;
cependant, nous vivons dans la dualité.

Le bien, le mal, l'amour, la haine…

Le mouvement immobile, en nous offrant
de nous relier à ce qui nous dépasse,
à l'élan fondateur de la vie,
rétablit l'unité perdue d'instants d'éternité
en instants d'éternité.

moment de vacance où je me libère de mon ego; il devient le lieu privilégié d'une relation intime qui me renvoie à mon humanité, à ce qu'il y a en moi de plus fragile et de plus délicat. Il est une reconnaissance de l'autre en moi, il devient une relation personnelle entre un « je » et un « tu » enfantant un grand « Il », le Saint-Esprit des chrétiens. Les mots de la religion aident à approcher l'essence de la présence où mon ego transfiguré se reconnaît en l'autre et participe avec lui à la grande expérience de la vie libérée de ses limites. Si le mouvement immobile facilite en moi une « zen attitude », il y crée également une « fraternitude » qui m'offre de me reconnaître homme parmi les hommes et frère de chacun d'eux.

Le mouvement immobile
m'offre d'être plus zen,
mais il m'ouvre aussi
à une prise de conscience :
sans les autres,
je ne peux pas vraiment exister.

12

Je vis le présent

« Je m'approche de l'eau sur la pointe des pieds,
je ne veux pas, par ma lourdeur,
déranger cette tranquillité soyeuse.
Un poisson argenté bondit dans l'air, il fait
un bruit de gifle et dessine, en retombant
dans l'eau, des cercles qui s'étirent.
Je ne bouge plus. Je regarde. Je tressaille
d'une paix immense. Je tombe lentement
à genoux : tant de beauté appelle un merci. »

Carpe diem. Profite du jour présent, de l'aujourd'hui. Transforme ta vie en des instants d'éternité et passe de plénitude en plénitude, sans te soucier du passé dépassé et du futur qui n'a encore aucune réalité. Tant de philosophies et de religions diffusent ce message, qui devient concret dans le mouvement immobile. Lorsque je m'installe face à moi et aux bruits désordonnés de mon questionnement, lorsque je me centre, je rejoins l'instant même où je vis et je me coupe à la fois de mes regrets projetés par un passé mal assumé et de mes souhaits lancés dans un futur imprévisible. Je suis là, simplement, je respire en accord avec le moment qui passe et je le savoure.

Je me laisse vivre, de plus en plus profondément, je marche vers davantage de transparence et j'éclaire mon chemin parce que je deviens mon chemin en train d'avancer, sans me préoccuper de ce qui m'a amené là ni de la route encore à suivre. Ce n'est pas simple, car l'ego dictateur met tout en œuvre pour me distraire du silence où je me pose.

Vivre l'aujourd'hui,
c'est en effet cesser d'être prisonnier
des mille sollicitations de l'ego
qui me rattache sans cesse à ce que j'ai fait,
à ce que j'ai été, à ce que j'ai eu
et qui construit des plans sur la comète pour
un futur encore mieux investi.

L'ego n'est jamais que dans le passé et l'avenir, pas dans le présent, où il se retrouve soudain vidé de sa substance. Le présent ne permet ni projections, ni rêves, ni délires. Il est la simplicité même, le point initial de chaque action et de chaque être sans cesse renouvelé.

Si le *carpe diem* des épicuriens est intériorisé, il cesse d'être une formule qui permet à tous les désirs de l'ego d'être vécus ici et maintenant pour se transformer en un point du temps et de l'espace qui résume tout et dans lequel chacun de nous est invité à se rassembler, à s'approfondir, à s'éclairer. Saveur indescriptible d'un présent d'éternité qui me renvoie non plus à mes instincts, au désir de me satisfaire le plus vite, voire le plus grossièrement possible, mais qui m'élève et me rappelle non pas l'horizontalité de ma condition, mais sa verticalité, ce présent ne me pousse pas à vivre des aventures éphémères qui ne réussiront jamais à combler ma sensation de vide existentiel, ce présent m'invite à la plus

Vivre le moment présent et en profiter pleinement n'est donc pas un appel à une satisfaction immédiate et bestiale de mes désirs. Le mouvement immobile, par l'aptitude qu'il m'offre à me détacher de moi-même, m'invite à vivre un présent où corps et esprit se relient dans un au-delà de moi, dans une élévation de mon être.

Je n'ai, dans ce présent-là, aucune envie urgente à assouvir, puisque plus rien ne presse, que le présent s'étale comme un lac sans rides, ouvert et lumineux, précieux et joyeux.

grande des aventures: celle où je me quitte moi-même pour m'offrir à l'autre.

Bien entendu, cela ne signifie pas qu'il faille que je me coupe des plaisirs de la vie, du quotidien que j'ensemence de mes éclats de rire et de ma jouissance, cela ne veut pas dire que je doive renoncer aux joies du corps, à leur explosion lumineuse. Trop de priants, trop de religieux coupés du concret ont proposé la voie d'une spiritualité désincarnée, étrangère à toute saveur, à tout bonheur de vivre, à toute chair, une spiritualité confite et asséchée qui ne se nourrit pas de la Création, mais qui s'en détourne. Pétrir un corps et le caresser jusqu'à plus soif fait partie de notre expérience humaine, et celles et ceux qui le vivent dans la justesse s'ouvrent de jolies plages de bien-être.

Vivre copieusement son horizontalité n'empêche pas de vivre, dans le mouvement immobile, la joie de la verticalité. Le tout est toujours une question d'équilibre, de justesse. Ce n'est pas parce que je suis un méditant que je ne peux plus profiter d'une « moules-frites » ou d'un bavarois à la framboise ! Je peux, lors de mon passage en chair, vivre celle-ci dans la mesure où l'attraction qu'elle exerce sur moi ne me coupe pas de l'amour pour ce qui me dépasse. Si je vis le groin fourré dans la terre sans lever les yeux vers le ciel, je perds le contact avec ce qui m'envole. Je me gave d'instants volés à tout ce qui m'entoure et j'oublie le moment d'éternité où se blottit le présent comme une perle pure.

Être ici et maintenant, c'est être vide de tout désir, c'est devenir le réceptacle du désir que l'autre a de moi. Être en prière, c'est simplement me présenter devant ce qui me dépasse et m'abandonner pour qu'en moi la vie se fasse tout entière. Ensuite, lorsque je reviens sur terre, il est important que j'utilise mon état de plénitude pour me guider vers une qualité d'humanité et de bien-être. Il ne s'agit pas de me transformer en méditant pendant dix minutes, puis de revenir à ma fange avec la consolation idiote et la certitude criminelle d'être un bon croyant. Il s'agit de vivre mon horizontalité en restant le plus et le mieux possible proche de l'habit de lumière dont m'ont revêtu le temps et l'espace que j'ai offerts à la prière. Vivre relié au présent, c'est vivre ce qui m'est donné de vivre sans oublier que, sans cesse, je peux mettre ma main dans celle de Dieu, de la Création, de la vie en fête. Si je veux vivre ma verticalité en me coupant de mon humanité, je me couperai de ma terre et m'égarerai dans un ciel virtuel qui ne sait plus que la pluie naît au sol. Avoir la « tête en ciel » sans conserver les pieds sur terre est aussi déséquilibré que de ne s'occuper que des « nourritures terrestres » !

J'ai le droit de vivre mes plaisirs
sans culpabiliser, mais je ne peux pas
perdre de vue que tous les actes que je pose
sont reliés à la vie ou au dieu
auquel je crois.

Vivre le présent en m'unifiant, donc
en m'installant à la croisée des chemins.

Sans âme, la chair est triste.
Sans chair, l'âme est perdue.

13

Je me nourris du ciel et de la terre

« *Velours*, vous êtes là, tout près de moi,
heureux en moi et vif, vous êtes le chant de la
nature en fête et la plénitude
de mon corps en joie. *Velours*, vous
le Vivant en tout être et en toute chose. »

Chaque jour, j'ai besoin de me nourrir et, si je fais partie de celles et ceux qui ont la chance d'avoir de la nourriture à profusion, il est important que cette profusion m'interpelle, car elle signifie malheureusement aussi que d'autres, sur la même planète, mes sœurs et mes frères humains, n'ont rien. Chacun a le droit à son pain quotidien, chacun a le droit à son eau vive, et ma prière, ma méditation, n'est pas habitée si elle ne m'interpelle pas sur les énormes disparités qui existent entre riches et pauvres. La richesse et la pauvreté ne devraient pas exister dans un univers du partage des biens et des ressources.

Comment faire en sorte que mon pain soit bénit ? Comment transformer mon eau en une eau vive ? Le mouvement immobile peut m'y aider, car en lui je suis transformé. Le lien qui se crée entre terre et ciel m'offre de ne pas demeurer prisonnier de l'attraction terrestre et de joindre l'esprit à la chair. Ma nourriture n'est alors plus seulement vouée à une seule transformation digestive qui conduit dans différentes parties de mon corps les aliments dont celui-ci a besoin pour demeurer en vie, mais elle est aussi vouée à une transformation céleste.

La nourriture qui permet à mon corps
de vivre me renvoie sans cesse,
si je me nourris en conscience,
à la nourriture de l'esprit.

Aux valeurs nutritionnelles s'ajoutent les valeurs spirituelles, qui opèrent une modification du regard que je porte sur le monde. Et je ne dois pas être croyant pour cela ! Simplement, un observant, un « contemplactif » qui ne vit pas d'acte en acte, mais qui, entre ceux-ci, pose un regard sur sa vie. Un exemple : le soir, avant de m'endormir, je peux faire un débriefing de ma journée. Qu'ai-je réalisé ? Qu'ai-je ressenti ? Comment me suis-je comporté ? Ai-je transformé en positif ce qui m'est arrivé de négatif, ou suis-je resté braqué sur mon dépit ou ma colère ? Vivre sur l'oreiller ma journée à l'envers, petit à petit, sans me juger ! Je m'endormirai souvent plus vite que si je pense à tout ce que je dois réaliser le lendemain !

M'abreuver en esprit, me nourrir en esprit, est aussi important que de m'alimenter pour assurer la survie de mon corps ; d'ailleurs, les nourritures spirituelles participent à l'équilibre de mon état physique. Sans la verticalité, j'éprouve sans cesse le besoin de me gaver, je suis insatiable, car au fond de moi je ressens le manque de plénitude. Nous ne pouvons pas combler notre manque de vie en

Alimenté en esprit, je ne peux commettre
les excès de celles et ceux
qui vivent les yeux fermés
sur ce qui les dépasse.

mangeant ou en buvant davantage, car alors nous nous abusons et nous nous éloignons encore plus de la source qui nous délivre.

Seules la prière ou la méditation – et le mouvement immobile qu'elles génèrent – peuvent me conduire à me nourrir justement, à écouter et mon âme et mon corps pour demeurer en équilibre, sans exagérer ni dans un sens ni dans l'autre. En jeûnant, je permets à mon esprit de prendre le pas sur le poids des nourritures terrestres et des engorgements tant physiques que spirituels qu'elles provoquent, mais le jeûne n'est pas une fin en soi : il est un outil pour me rappeler que mon corps, pour demeurer en équilibre, doit être le lieu d'un partage de forces souvent contradictoires. Si je n'écoute que mon esprit, mon corps en pâtira, et mon esprit aussi. Si je n'écoute que mon corps, je ne peux devenir le réceptacle de l'énergie du ciel.

Les tentations pour nous éloigner du mouvement immobile sont nombreuses, et tellement plus attrayantes que la simple offrande de moi que je fais au moment où je m'abandonne à plus grand, à plus clair, à plus présent.

Il ne s'agit pas non plus de créer en moi
un faux équilibre entre un peu de foi
et un peu de foie gras.

Il s'agit davantage de consommer
mon foie gras sans perdre ma foi de vue,
et sans oublier les autres.

Le monde est bâti sur des distractions infinies, sur des mensonges tellement éblouissants qu'ils peuvent souffler la petite lampe allumée de ma foi si je n'y prends pas garde. Il m'importe donc de demeurer éveillé et de vivre en conscience : me nourrir d'Internet à outrance, me laisser happer par les multiples tentations qui parsèment mon quotidien *via* la télévision, mon écran d'ordinateur, les magazines, etc., me soumettre à ces nourritures de l'argent et du sexe qui ne peuvent que m'appauvrir en bout de course, c'est vivre sans cette petite voix en moi, et en nous tous, qui vibre délicatement et qui nous appelle à ouvrir nos frontières et à élargir sans cesse notre horizon.

Me nourrir du présent, c'est aller plus loin que moi, mais aussi plus loin en moi, à une profondeur inaccessible si je me contente des stimuli envoyés par la société de consommation qui, plutôt que de me nourrir, me pompe tout en me gavant d'ersatz de repas qui me donnent l'illusion que je suis rempli alors que je manque de l'essentiel.

Alors, je suis prêt à aller vers la misère du monde, je m'engage pour une humanité plus juste, j'interpelle

La prière est vraiment l'instant
où je me mets à table :
je m'abandonne, je m'offre,
et le ciel prend la relève.

les puissants et les décideurs pour qu'ils ouvrent les yeux sur les inégalités qui règnent sur la planète. Nourri du ciel, je ne songe plus seulement à nourrir ma terre, mais à nourrir celle à qui nous appartenons tous. Enfant du ciel, je ne peux que m'indigner de ces quelques nantis qui prennent les pauvres en otage. Et des indignés, il en existe de toutes les couleurs, des justes qui s'engagent pour davantage d'humanité et de fraternité. Ils ont toutes les croyances, musulmans, chrétiens, athées, hindouistes, bouddhistes, agnostiques… Seul l'emballage diffère, mais dans le cœur la lumière vive a établi son nid.

Libre, j'accepte la liberté des autres. Heureux, j'accepte leur bonheur. La jalousie, l'envie ne naissent jamais que dans des cœurs malheureux. Ma propre plénitude me conduit à souhaiter la plénitude de l'autre, et ma richesse me donne l'élan de désirer ardemment celle d'autrui. Relié à la source, je ne nourris plus la peur de perdre et je ne tente plus de thésauriser des biens pour les jours de disette. La vie est là et je ne peux pas la perdre, puisque c'est elle qui me nourrit !

14

Je reçois l'audace du pardon

« Pardon d'avoir été et d'être si peu attentive à la beauté du monde. J'ai tant vécu comme ces gens tout en surface. Ils sont si décevants ! Ils vous annoncent monts et merveilles et quand vous les fréquentez d'un peu plus près, vous remarquez que ces malheureux croient à leurs rêves. Ils ne vivent pas la vie, ils l'imaginent. C'est trompeur pour ceux qui les rencontrent, mais c'est atroce pour eux. Quand ils s'en rendent compte, ils s'écroulent. C'est fini, comme un ballon qu'on fait éclater. Paf ! Ils se dégonflent d'un coup : leur personnage est mort et jamais ils n'ont pris le temps d'être une personne. »

Installé confortablement dans le flux délicat du mouvement immobile, je prends lentement conscience que tout passe, je prends conscience d'une impermanence dans le mouvement, et si je vais plus loin dans mon observation, dans ma contemplation active, je conclus que, puisque tout passe, il est absurde de demeurer fixé sur certaines rancœurs, sur des haines, des colères et des blessures, et que le pardon est peut-être le plus beau fruit de la prière et du recueillement.

Mais l'ego blessé, l'ego insulté, n'a guère la faculté de pardonner : en le faisant, c'est un peu comme s'il niait son existence. L'ego a sans cesse besoin d'avoir le pouvoir, de le reconquérir s'il se rend compte qu'il l'a perdu – une volonté de prendre qui est tout à l'opposé du mouvement d'ouverture que le pardon ouvre en nous. Le pardon procède de l'abandon, du lâcher-prise, mais il est encore davantage, car il s'agit de bien plus que de simplement « laisser tomber », d'oublier : il s'agit d'accueillir l'autre avec le mal qu'il m'a fait, de le bénir malgré l'horreur, de lui rendre grâces pour que nous puissions nous retrouver au-delà de la souffrance et de l'offense.

Sans amour, le pardon n'est pas possible. Empêtré dans mon ego et dans les limites qu'il m'impose pour exister, je ne peux pas pardonner le mal (à part quelques broutilles que ma raison me permet de considérer comme mineures, bien entendu !) qui me déchire le cœur.

Ce retournement, je ne peux le faire seul. En lien et en intimité avec la force de la vie qui me dépasse, je peux recevoir la force de pardonner, mais seul avec mes propres forces, je ne peux que raisonner, dire : « Oui, ce qu'il m'a fait n'est au fond pas si grave que cela ! », avoir une certaine compassion, mais pas de véritable pardon, celui qui purifie la faute que l'autre a commise, celui qui m'aère. De nombreuses religions et philosophies cultivent la non-réponse par rapport à la violence, et c'est dans cette capacité à ne pas réagir que naît la force de pardonner. Agir, c'est poser un acte qui ne soit pas une réponse immédiate à ce que j'ai vécu. Comme toujours, il s'agit de pouvoir prendre du recul, de me situer dans le présent, qui n'est déjà plus la colère qui m'a envahi.

Pardonner aux autres et me pardonner à moi ne peuvent pas se faire avec mes forces propres ; je suis si faible et j'ai tellement tendance à ne regarder de moi que le meilleur ! Mon ego a besoin de se sentir fort, et le pardon me fait m'agenouiller, me fait baisser les yeux, me découvre fragile et incapable de poser un acte qui me dépasse.

C'est pourquoi il est le plus beau fruit de la prière, car il bouleverse ce que je sais de moi, ce que je suis, et que jamais il ne m'appartient. Lorsque j'entre en capacité de pardon, j'entre en capacité de vie, je me relie à plus grand que moi. Si je puis éprouver la joie délicieuse, comme un baiser d'étoiles, que je n'en veux plus à celui qui m'a fait souffrir, si je puis ressentir la même libération à mon égard, c'est que je suis devenu capacité à accueillir l'amour même qui frappe sans cesse à ma porte, c'est qu'enfin, à force de regarder par la

Le pardon n'est pas un marchandage
avec celui ou celle qui m'a causé du tort.

Le pardon est un retournement complet
de mon être, qui se donne à l'autre
malgré l'offense que celui-ci m'a fait subir.

fenêtre et d'ouvrir mon cœur, j'ai pu accueillir la vie qui nettoie de toutes les fautes et qui lave de tous les péchés.

Voilà un discours qui peut sembler très chrétien à celles et ceux qui ne partagent pas cette religion. Les mots, certes, les images aussi, procèdent d'un passé culturel, mais la vie, le ressenti des êtres et du monde peuvent être partagés par tous. Je ne pardonne pas avec ma tête, je pardonne avec mon cœur, et pour en être capable, je dois élargir celui-ci : je peux le faire au creux du mouvement immobile, car alors, je me connecte à l'univers et je peux mieux comprendre mon « importance » de petit pois fragile ! Tant que je me crois fort, je me rengorge, mais dès que je vibre à l'unisson du cosmos, je ne peux que rire de l'importance que je me donne.

Installé dans le silence habité induit par le mouvement immobile, je prends conscience de mon manque de conscience, de la prison dans laquelle je m'enferme et où je tente, par tous les moyens, de me satisfaire pour oublier ma

La plupart du temps, lorsque je fais le mal,
je n'en ai même pas conscience.

Comme tant de gens, j'agis pour moi,
je vise mes intérêts,
sans me préoccuper du monde
qui m'entoure.

finitude. Nous sommes si nombreux à passer notre vie à nous distraire de la mort ! Cependant, c'est son côté abrupt et inéluctable qui peut nous amener à vivre mieux et à tourner les yeux vers ce qui nous dépasse, c'est elle qui nous conduit vers le pardon, vers l'essentiel, car son couperet nous souffle de faire le ménage avant de partir. Tant que nous nous croyons éternels et sans limite, bref, tant que nous nous prenons pour Dieu, le pardon nous est inaccessible. La mort nous confronte à notre finitude et nous ramène à la source même de la vie. Qu'existera-t-il lorsque je ne serai plus ? La vie continuera, presque comme si de rien n'était, et c'est donc à elle, la Vivante, l'Éternelle, que je dois me référer lorsque j'avance d'un pas sur le chemin.

Nous accumulons tant de rancœur sur le temps d'une existence ! Si nous voulons être honnêtes, nous devons reconnaître que nous en stockons déjà pas mal sur une journée : énervement, hargne, colère, réflexions blessantes, voire envie de faire mal… Plus mon ego est grand, plus il a besoin d'énergie pour exister, et souvent il se défend en attaquant. Je vis alors à la surface de moi-même, sans la moindre intériorité, dans un mouvement frénétique qui ne s'immobilise jamais pour recueillir les fruits du silence. Je me distrais de moi-même, je m'éblouis si fort que je ne remarque pas les autres et leur existence, si importante pour que la mienne s'épanouisse.

Si j'entre plus avant dans la prière, dans la méditation, j'éprouve que, même en position de solitude, si je ne partage pas ma vie avec d'autres personnes, je ne suis pas isolé. Le mouvement immobile m'ouvre à l'autre en moi, à ces espaces infinis que même les athées côtoient, à ma vie, à mon dieu, à ce qui me dépasse et dont je peux apprendre à mieux recevoir celui ou celle que je suis.

Seul le mouvement immobile peut m'apprendre à pardonner, lui seul peut me donner le souffle nécessaire pour me regarder en petit alors que je me crois grand, pour m'éclairer et m'offrir de voir l'autre, de me voir en beau malgré les erreurs que nous avons, l'un et l'autre, commises. Dire : « Je vois en toi tellement plus que le mal que tu m'as fait. Je vois en moi tellement plus que le mal que je t'ai fait. » J'ouvre alors mon regard sur la vie plutôt que sur la mort, j'élargis plutôt que de réduire, et le pardon vécu m'étreint lorsque je vis, au cœur du mouvement immobile, que l'amour est sans mesure et que moi, petit être, j'ai accès, si mon cœur se fait accueil sincère, à ce pays sans frontières.

Certains, très terre à terre, pourraient se demander à quoi ça sert de pardonner, et la question est légitime. Au fond, que je pardonne ou non à l'autre, qu'il me pardonne ou non, je peux très bien vivre sans lui. Une manière comptable de voir les choses, une façon de créer des murs et des frontières. À partir du moment où j'entre dans la dynamique du mouvement immobile et que je prends conscience de la réalité sensible du monde, de celles et ceux qui me sont proches, je ne peux plus concevoir de couper ainsi le lien, car je me rends compte que tout est relié et que l'autre

La plupart du temps, lorsque je fais le mal,
je n'en ai même pas conscience.

Comme tant de gens, j'agis pour moi,
je vise mes intérêts,
sans me préoccuper du monde
qui m'entoure.

dont je me coupe, c'est moi, qui deviens étranger à moi-même. Le pardon fait non seulement du bien à celui qui le reçoit, mais aussi à celui qui le donne : une libération réciproque, car elle conduit vers plus de transparence et vers une meilleure qualité de relation. Pardonner à l'autre, c'est cesser de l'exclure, c'est l'inclure, l'inviter à la table de la vie et croire que, reliés, nous pourrons à nouveau créer du meilleur.

15

Je n'offense plus, je ne m'offense plus

« Un ami au cœur grand ouvert qui s'habille de toutes nos blessures. J'ai vécu si loin de vous, je vous ai tenu si loin de moi et je m'en veux de tant d'insouciance, d'une si belle ingratitude. Vous étiez là, et moi j'étais absente : c'est là tout le drame de la relation entre l'homme et Dieu. »

Il est important de me poser au creux du mouvement immobile pour ressentir vraiment les offenses que j'ai subies et celles que j'ai fait subir aux autres. Dans le silence de la prière, de la méditation, du recueillement, toute ma vie défile en d'éclairants flashs, et j'ai à être là, simplement présent, les yeux tournés vers la fenêtre derrière laquelle passent faits et gestes qui m'ont construit et déconstruit. Ce n'est évidemment pas toujours agréable, et j'ai tendance à fermer les yeux sur les images et les sensations les plus noires.

Grâce à la lumière du pardon, je peux les contempler avec le moins de jugement possible, et sans jugement si mon cœur est assez ouvert. Bons ou mauvais, ce ne sont que des actes dépassés sur lesquels je ne peux pas revenir. J'ai mal agi, on a mal agi à mon égard ; je suis assis, au creux de ma prière, et ces faits qui défilent ne participent plus à mon présent. Je les contemple, je laisse, si elles surgissent, remonter mes émotions sans m'y noyer ; il est primordial que je demeure observateur de ce que je vis.

En accueillant les sensations,
voire les douleurs, je me rends compte
que l'idée de mes offenses
me fait plus de mal que les offenses
elles-mêmes, puisque celles-ci
n'existent plus !

Seul mon ego réagit encore aux blessures qu'il a subies, lui seul peut encore s'en vouloir pour les actions néfastes qu'il estime avoir commises. Dans le présent, peine et remords n'existent pas. Il ne s'agit cependant pas de fuir dans ma prière, de placer ma vie dans une espèce de compote d'amour universel et inconditionnel, sirupeux et trompeur ; il s'agit de regarder ma vie en face et de demander pardon pour ce que j'ai commis, d'accorder mon pardon pour ce que j'ai subi. Dire : « Accorde-moi le pardon, accorde-moi la force de pardonner, la force de me pardonner. » M'adresser à Dieu, à la Vie bienveillante, à la Source généreuse, à la divinité, à l'interlocuteur devant qui je m'agenouille dans mon intimité la plus profonde. Bien entendu, si je ne crois qu'en mes propres forces, ça ne fonctionnera pas. Souvent, je ne crois qu'en moi parce que j'ai peur du mystère, de l'invisible, de ce que je ne peux pas saisir ni formuler. Lorsque, au cœur du mouvement immobile, je m'adresse à un interlocuteur, quel qu'il soit, je sors du carcan de l'isolement et j'accepte qu'en moi il y ait un autre, un ami, la vie à qui je peux parler. Et il ne fait aucun doute que si la situation est pour moi trop difficile à accepter, il vaut mieux que je me tourne vers un ami extérieur ou une personne qui peut m'aider quand je ne trouve pas mes repères.

Dans la prière, je peux dire: « Accorde-moi la faculté de pardonner. » Pour celui qui refuse tout autre interlocuteur que lui-même, le pardon vivifiant ne peut pas exister, car il tourne en rond, prisonnier de son autosatisfaction, de peurs et de raisonnements qui ne le conduisent qu'à lui. Le pardon est toujours le fruit de l'altérité, du partage, de l'échange.

Le pardon me lave de tous les péchés que j'ai subis et que j'ai commis. Le pardon, c'est la grande lessive qui m'offre, si je l'accueille, de me détacher des offenses, de les observer de l'extérieur et, surtout, de ressentir avec une force vive que je ne veux plus, dans ma vie, bloquer mes yeux sur l'ombre alors que je suis entouré de lumière. Certes, l'obscurité existe, mais sa puissance et sa nuisance ne résident que dans la terrible force d'attraction qu'elle exerce sur chacun de nous.

Combien de belles actions pour une offense ? Mais c'est l'offense que je retiens, comme si la belle action n'avait pas d'importance, comme s'il était naturel de ne pas y prêter attention. Si chacun de nous laissait se dissoudre les offenses avec autant de facilité qu'il oublie les actions « naturellement » positives, il y aurait moins de guerres dans le monde !

La beauté glisse sur l'ego comme la pluie sur un imperméable. L'offense y fait un trou que seul le pardon peut réparer. Si j'offense un proche – mais chaque homme n'est-il pas mon prochain ? –, je peux lui demander de m'accorder son pardon. D'après l'endroit où il vivra en lui-même, il me l'accordera ou non. Je ne dois cependant pas en rester là : dans le calice de ma prière, je peux réitérer cette demande de pardon : « Accorde-moi d'être pardonné et

Nous avons une incroyable propension
à nous tourner vers les mauvaises
nouvelles, vers le mal,
à y placer nos énergies ;
pendant ce temps-là,
nous oublions le bien et le beau.

de pardonner », sans cesse, pour que le pardon devienne une habitude de vie.

Les moments que je consacre à la prière dans mon quotidien n'ont pas à être coupés de celui-ci. Le divin est humain, même s'il le dépasse, et il réside dans mes moments de recueillement et dans mes actes les plus banals. L'important, c'est qu'il devienne contagieux. Que le mouvement immobile ne soit pas un moment privilégié où je m'isole durant quelques instants pour me donner bonne conscience, qu'il devienne une conscience de chaque instant, une référence dans ma vie, une respiration souriante. Il ne s'agit donc pas de m'emprisonner dans des rituels ni dans des formules qui me coupent du monde et qui risquent de me donner une bonne opinion de moi. La prière ne m'isole jamais : même si j'y suis seul, elle me relie toujours aux autres.

Si je peux cultiver petit à petit cet état d'être, les offenses que je subirai auront moins de poids, et la conscience que j'aurai de la vie m'amènera naturellement à en faire subir de moins en moins

Il est important que, petit à petit,
je m'entraîne à pardonner,
à me pardonner.

Voir les événements et les êtres en beau,
cela s'apprend au quotidien.
Diffuser de la lumière
plutôt que des ombres aussi.

Un exercice tout simple :
je me souris dans le miroir, le matin.
Et je souris aux gens que je rencontre.
Lorsqu'ils m'irritent, je m'entraîne
à ne pas leur en vouloir.

L'apprentissage du pardon
commence par là.

aux autres parce que je serai plus attentif à celles et ceux que j'aurai en face de moi, parce qu'il me deviendra intolérable de les blesser et que je préférerai les écouter plutôt que d'avoir raison.

Lorsque ma vie devient « contemplaction », je vis en harmonie avec le mouvement immobile. Je bouge, mais je demeure en moi. J'accomplis maintes actions, mais je demeure centré. Je cesse de me laisser happer et de vivre en réaction à ce qui m'arrive. Ma vie, de présent en présent, devient une marche bienveillante. Je suis en même temps en action et au repos.

Vivre ainsi, en attention,
n'est pas une utopie.
C'est le fruit non pas d'un combat
de tous les instants, mais d'une ouverture
du cœur qui ne se lasse jamais.

16

Je suis libéré des tentations

« Je ferme les yeux. Je m'en remets
à votre présence et, dans mon ventre,
là, contre les battements de mon cœur,
l'Intime tressaille. Je m'endors, comblée entre
toutes les femmes, heureuse. »

Le chemin n'est ni lisse ni rectiligne. Je suis sans cesse en déséquilibre entre ma verticalité, mon aspiration à plus que moi, et mon horizontalité, mes désirs insatiables. La vie est là, qui s'offre, et je choisis de la prendre au niveau où je le peux : spiritualité ou animalité, qualité ou quantité, satisfaction à long terme ou jouissance immédiate, finesse ou vulgarité… Le menu est devant moi et je peux faire un choix, car, à tout instant, j'ai mon libre arbitre.

Je suis libre de mes décisions et responsable de celles-ci, libre de me nourrir de matière ou d'esprit, voire, pourquoi pas, des deux. Je sais aussi que chacun de mes choix a des conséquences et influe sur ma vie, sur mon quotidien. Celui qui se nourrit de graisses et de sucres n'aura pas la silhouette ni la santé d'un végétarien. Celui qui ne se préoccupe jamais de ce qui le dépasse et qui vit le nez dans le guidon ne connaîtra pas les mêmes expériences que celui qui communie dans le silence. À chacun son équilibre, sans juger personne, mais je dois savoir que je ne cultive pas la délicatesse et l'écoute du murmure en moi si

À chaque instant de la vie,
nous sommes amenés à faire des choix,
et chacun entraîne un deuil
puisque, si nous choisissons quelque chose,
nous choisissons aussi de nous priver
de ce que nous n'avons pas choisi.

L'important est de faire des choix
qui nous conduisent vers le haut,
vers le long terme, vers la lumière,
et ce sont souvent ceux qui nous
satisfont le moins immédiatement,
et qui sont donc les plus difficiles.

je n'ai d'autre but que de satisfaire mes pulsions. Je ne peux pas en vouloir à Dieu, à l'univers, de ne pas l'entendre si je ne m'occupe pas de lui, pas plus que je ne peux rendre la vie et les autres responsables de mes échecs et de mes déceptions.

Souvent, croyants et même non-croyants, au bout de leurs peines, lancent des imprécations vers le ciel et demandent, avec rage : « Mais pourquoi donc m'as-tu envoyé cela ? Pourquoi à moi plutôt qu'à mon voisin ? » Peu importe qui est ce « tu » à qui ils s'adressent. En revanche, le message contenu dans la question est intéressant : Dieu, le cosmos envoient de la vie, à laquelle nous participons. Dieu, le cosmos, la nature vont toujours de l'avant, vers plus de création, vers plus de lumière. Ils ne nous envoient pas de punitions, seulement de l'amour, de l'énergie de vie en surcroît. En sortant de l'unité et en entrant dans la dualité, nous vivons vie et mort, santé et maladie, joie et misère, et c'est à nous, au cœur du mouvement immobile, du recueillement, de la prière, de nous rassembler pour nous unifier à nouveau, pour laver les ombres et revoir notre quotidien en toute transparence, dans un face-à-face avec la vie qui nous dépasse. Les lamentations sont inutiles et ne nous conduisent qu'à nous séparer davantage de nous-mêmes et de la source. Bien entendu, dans un premier temps, je peux me lamenter sur l'unité perdue, sur le dieu évanoui, sur les ombres qui planent sur ma vie, mais ensuite il faut que je redresse la tête et que je chemine où il m'est donné de cheminer : avec foi, avec espérance, le cœur tourné vers la lumière, en sachant que la quête de cette dernière est un combat de tous les jours.

Sur le chemin, les tentations sont nombreuses et elles frappent sans cesse à ma porte. Elles sont partout, sur les affiches, à la télé, dans la presse, sur mon ordinateur, et elles me pressent de réaliser même des désirs que je n'ai pas. Elles m'envahissent et mettent tout en œuvre pour me sortir de moi, de la simplicité d'une vie aimante et créatrice ; elles poussent le mensonge jusqu'à vouloir me faire croire que si je ne les prends pas à mon compte, je ne participe pas au monde ni à ses élans. Que je consomme donc jusqu'à m'en consumer ! Peu importent les conséquences, ce qui compte c'est l'assouvissement immédiat de mes pulsions les plus vulgaires. Promotions d'un jour, voire promotions d'une heure ! Tout est fait pour que je cède sans réfléchir.

Quelles que soient les époques, les tentations les plus basses – sexe, argent, puissance, gloire, etc. – ont toujours eu pignon sur rue, et si je fais le choix de la prière, de la solitude créatrice, je me confronte à elles. Je dois apprendre à les éloigner pour entrer dans la simplicité émue du silence qui murmure, pour participer au mouvement immobile. Les tentations sont sœurs de l'ego, c'est pourquoi elles sont si difficiles à affronter. En m'en écartant, je peux avoir l'impression de m'éloigner de mon existence, de ma personne : elles sont tellement aptes à me séduire de leurs lèvres siliconées, de leur poitrine boostée et de leurs dents blanchies !

Pour éviter d'être leur esclave, j'ai la puissance tranquille et humble du recueillement. Il ne s'agit pas de lutter contre elles, car en les combattant, je nourris leur force. Il s'agit de les observer, de

Lorsque je suis tenté, je peux choisir
de céder à la tentation
ou de prendre du recul
et de voir plus loin que celle-ci.

La société de consommation
met tout en œuvre
pour que je réagisse dans l'immédiateté
et que je ne sois plus un acteur
de mon existence.

les regarder passer, de demeurer à l'extérieur de leur puissance de séduction massive. Être, une fois de plus, celui qui contemple avec amour et avec tendresse la vie sous toutes ses coutures. Si je me détourne des tentations avec horreur, elles gagnent en puissance et savent qu'elles me touchent. Si je les regarde défiler avec la sérénité de celui qui sait où il va, qui a choisi sa route, elles finissent par se lasser de mon absence de réaction, qui n'est pas de l'indifférence. Les tentations sont là, affriolantes en leurs atours, et je peux apprécier leur charme sans pour autant y céder. Elles ne sont jamais que des illusions à qui je donne vie, et le mouvement immobile m'offre de cesser de les alimenter. Il me permet de demeurer en harmonie avec moi-même.

La prière n'agit jamais contre une force qui s'oppose à elle ; la prière n'agit que dans l'amour, et c'est l'amour même qu'elle génère qui, sans le chercher, avec naturel, repousse « l'agresseur ». « Pas la peine d'aller là ! » se dit la tentation, car lorsque je suis en méditation, assis sereinement dans la spirale aimante du mouvement immobile, je ne suis pas tentable. Lorsque je suis centré, je ne remarque même pas le bruit et la fureur qui m'entourent. Je vis dans un présent sans désir et sans regret. La tentation a alors beau faire, elle n'a aucune prise sur moi.

Bien entendu, je ne suis pas toujours en connexion avec le mouvement immobile, et durant ces moments-là, parce que je suis un être humain, avec ses forces et ses faiblesses, je peux me laisser tenter, mais en conscience. Pourquoi ne pas trouver ce bonbon tellement bon, cette femme excessivement jolie, cet homme rempli de séduction ? Pourquoi ne pas avoir envie d'être le premier, d'être remarqué par les autres, de posséder enfin ce joujou de la technologie qui me fait de l'œil depuis des semaines ? J'en passe ! Les tentations sont si nombreuses et je suis si fragile.

Cependant, je sais que les tentations sont des vents éphémères et que je ne dois pas les suivre. Être un homme, avec mes fragilités et mes désirs, mais demeurer souplement installé dans la force tranquille de la prière, qui me ramène sans cesse vers plus de vie. Lorsque j'établis ce choix-là, la tentation perd la partie. Il ne faut pas être un sage pour réussir à vivre cela, même si cette attitude exige une attention aimante, mais rigoureuse.

C’est aussi savoir que si je faillis, ce n’est pas grave. Un peu comme un enfant qui tombe et qui, quelques instants plus tard, se relève et poursuit son chemin. Il ne s’agit à aucun moment d’être parfait ! Il s’agit de tendre vers un mieux, et la prière, au creux même du mouvement immobile qu’elle génère, me donne une direction et offre ainsi un sens à ma vie et à la personne que je suis. Je me libère des tentations au fil des jours, et plus le temps passe, plus l’expérience est facile si j’entretiens mon choix vers plus de vie. À moi aussi de prendre garde à n’être pas un tentateur !

Il serait triste que j’acquière la force de résister à la tentation sans voir que, dans mon attitude, je suis une personne qui tente les autres. Tenter, c’est toujours vouloir prendre le pouvoir sur autrui, le séduire, le placer sous ma coupe. Tenter l’autre, c’est le réduire à moi, à mes désirs, c’est donc lui faire mal et lui manquer de respect et d’amour.

Ne pas être soumis aux tentations,
c'est demeurer maître de ma volonté
et ne pas me laisser kidnapper
par ce qui brille et ce qui ment.

17

J'accompagne le mal

« – Je me suis égarée dans la forêt, j'ai marché pendant plusieurs jours. Heureusement, des frères ermites m'ont recueillie et me voilà !
– Enfin, Virginie, racontez vos histoires farfelues à d'autres que nous !
Vous voyez, *Velours*, lorsqu'on dit la vérité, personne ne vous croit. »

Chaque instant passé au creux du mouvement immobile me délivre. Le fait seul de me tourner vers la vie et au-delà de moi me libère de ma routine, de la personne enfermée dans des activités et des manières d'être. Le simple fait de m'arrêter me pousse à me remettre en question. Le silence conduit au trouble, à l'interrogation, à la contemplation et ensuite à l'accueil. Lorsque le mal arrive dans ma vie, parce que je le subis ou parce que je le commets, il me conduit, à condition que je sois ouvert, à un questionnement. Pourquoi ai-je fait ceci ? Pourquoi je vis cela ? La question et le moment de silence qu'elle entraîne me font prendre conscience de la réalité de l'autre et de la relation qui existe entre lui et moi. Si je suis trop attaché à mes certitudes, je ne peux plus me tourner vers l'autre, vers l'altérité qui nourrit, et je perds tout repère.

Ce n'est pas moi qui peux me délivrer de moi, car ainsi je tournerais en rond, utilisant, pour ouvrir les portes qui m'enferment, les clés qui ont servi à m'enfermer ! Ce ne serait qu'une fausse

Le mal que je subis ou que je commets
me fait prendre conscience
de la réalité de l'autre.

Pour m'en délivrer, il importe
que je me mette à l'écoute des faits.

Je ne peux pas me libérer du mal
sans entrer en lien,
en résonance avec l'autre.

délivrance. Pour me délivrer du mal, le bien est la seule issue. C'est en me tournant vers la lumière que je peux dissoudre les ombres de ma vie, mais je dois aussi savoir que plus la lumière sera forte, plus les ombres seront compactes et virulentes.

Le mal est présent partout, diffus, à l'affût, et il utilise les tentations pour m'attirer dans son filet. Lorsque je m'y laisse glisser et qu'il m'entraîne vers les abysses, je n'ai que la lumière de la surface pour me servir de guide. Je me guéris du diable en tendant la main vers Dieu, je me guéris de mon agresseur en tendant la main vers celui ou celle qui vient à mon secours. Lutter contre quelqu'un de plus puissant que moi ne peut qu'entraîner ma perte. La violence utilise les armes que j'emploie contre elle pour me combattre et pour, au final, m'anéantir. Me délivrer du mal n'est jamais utiliser la guerre, mais œuvrer avec des outils de paix. Le dialogue et le pardon en font partie. Le silence aussi, car il coupe les énergies de violence en ne rendant pas mot pour mot, mort pour mort, insulte pour insulte.

Cependant, c'est la prière qui est le plus bel outil de paix existant. La méditation, le recueillement, l'accueil en moi de ce qui arrive et la transformation des ombres en lumière. Rien ne résiste à la prière aimante, même pas la haine la plus tenace. Lorsque j'accueille le mal qui m'agresse, celle ou celui qui veut ma mort, je me place en position d'ouverture plutôt qu'en posture défensive, et c'est cet accueil même qui soit bouleverse le cœur de l'autre, soit le conduit à me détester plus encore parce que je lui renvoie sa violence en pleine face sans y répondre. On assassine les saints parce qu'ils mettent le mal en lumière et que, pour celles et ceux qui le commettent, c'est totalement insupportable. Cela ne signifie, bien entendu, pas que je ne doive pas me défendre ni tenter de m'échapper si l'on m'agresse dans la rue, par exemple ! Mais à celui qui m'insulte, une réponse violente de ma part n'apportera que du feu, et cela ne conduira pas à la paix nécessaire pour plus d'harmonie. Palestiniens et Israéliens qui s'agressent mutuellement depuis plus de soixante ans en sont un triste exemple.

Chaque religion, chaque philosophie, chaque sagesse sait la présence du mal et sa puissance. Il ne s'agit donc pas de faire comme s'il n'existait pas et de vivre de manière candide, voire aveugle. Le mouvement immobile m'offre de me poser dans le présent, dans toute sa réalité, avec ses ombres et ses lumières, et de choisir de m'abandonner dans les mains du silence pour devenir un observant actif, capable de discernement et de volonté, un « contemplactif » qui sait que toute action, pour être valable, ne peut être déposée que dans les mains de la vie qui nous dépasse. Non que je sois incapable d'une bonne action par mes forces propres, mais toute action doit être tournée vers le don de moi, vers le don à l'autre dès l'instant où je la pose.

Lorsque la volonté de Dieu, de la vie aimante, se fait en moi, j'ai les « armes » nécessaires pour lutter contre le mal. Et la volonté de Dieu, quelles que soient les croyances, les philosophies, n'est jamais qu'un surcroît d'amour. Si je réponds au mal au moyen de mes propres forces, je lui réponds mal,

Me délivrer du mal,
c'est donc m'occuper du bien.
Sans naïveté, en toute conscience.

car mes faiblesses et ma fragilité n'ont pas les ressources nécessaires pour l'affronter, et à un moment ou à un autre il trouvera la faille et me fera glisser dans la déprime ou l'agressivité. « En Dieu j'ai mon appui, en Dieu j'ai ma lumière, en Dieu j'ai mon berger. » Les Psaumes, mais d'autres textes aussi de toutes les traditions, le chantent. En Dieu, j'ai un roc sur lequel m'appuyer lorsque le mal me fait vaciller. Celles et ceux qui ne croient qu'en leurs forces ne peuvent pas me suivre sur cette voie, mais peuvent-ils au moins accepter que la vie les dépasse, qu'ils ne maîtrisent pas tout et que, s'ils se déposent en la vie, s'ils lui accordent leur confiance, ils trouveront une paix de l'esprit qui leur permettra de mieux affronter leur quotidien ?

En tant qu'être humain, je cultive le mal et le bien. Je suis un être de chair et je ne peux me libérer du cycle de mes cellules qu'en tournant les yeux vers l'Amour qui engendre les êtres et les choses. Lorsque Jésus demande à son Père que Son règne vienne en lui, il demande à Dieu de s'incarner dans ses créatures ; dans le mouvement

Là où le mal cherche son intérêt,
comme je peux chercher le mien
lorsque je ne songe qu'à moi,
le bien donne de l'intérêt
à tout ce qu'il touche.

immobile de la prière, nous ne faisons rien d'autre. Que la vie vienne en notre chair et la délivre du mal, que la vie vienne en notre chair et l'imprègne. À chaque instant, des cellules naissent pour remplacer celles qui meurent. Grâce au mouvement immobile, je peux rendre divin ce mouvement humain, car je prends alors la liberté de m'accorder au Grand Tout, à l'Esprit, à la conscience universelle. Plutôt que de cultiver mon bonheur et ma santé, je me verticalise et je me tourne vers le bonheur de tous.

Le mal existe.
Plutôt que de l'ignorer ou de le rejeter,
je peux l'accompagner,
l'accueillir en toute conscience.

Si je ne le transforme pas, je transformerai
au moins le regard que j'ai sur lui.

18

Je deviens un imprégné d'amour

«Je me souviens de mon élan vers Dieu
lorsque j'étais petite. Je lui racontais tout,
je lui demandais son avis sur tout.
Je me sentais heureuse de pouvoir lui parler
et ça me suffisait. En babillant avec lui,
je recevais bien des réponses.
Je m'offrais et le laissais venir en moi,
et c'était bon. J'avais la foi parce
que je ne me sentais pas obligée de croire.»

La prière, la méditation, le recueillement me délivrent du mal et m'offrent de reconnaître que je ne suis pas seul producteur de l'amour qui m'entoure. Mon bonheur passe avant tout par l'autre, par les autres. Le mouvement immobile m'offre de ressentir ce lien au cœur même du silence. Je suis sans cesse entouré de mille énergies, de mille présences, et pour gagner en équilibre et en paix intérieure, il est important que je m'imprègne de ce qui m'élève et m'élargit, plutôt que de me laisser encercler par ce qui me rétrécit. Je peux me plonger – quelle facilité ! – dans le stupre, le lucre et le sexe, je peux me gaver d'une abondance mensongère et débilitante. Je peux au contraire choisir de me tourner vers l'amour et de m'y abandonner.

La vie apporte santé et exubérance dans mon corps, m'offre de grandir, de m'épanouir, de créer d'autres vies, et ensuite, mission accomplie, elle marche doucement vers la mort, espace-temps de la délivrance physique et tremplin vers une autre naissance de ma personne dans

Dans son mystère et dans sa démesure,
sans cesse la vie s'abandonne à moi,
me comble de bienfaits, renouvelle mes
cellules. Lorsque je me ferme à son flux,
naissent les blocages, la maladie,
mais la vie demeure, précieuse et généreuse,
à se battre contre mes dérapages,
contre mes excès.

la lumière de l'abandon. La mort est verticale et mouvement ultime, celui de ma libération de ce qui me dépasse, celui de ma résurrection dans l'esprit de Dieu pour les croyants; chaque philosophie, chaque sagesse, chaque religion a ses mots pour le dire.

La mort peut être la conclusion heureuse de notre vie, bien plus qu'un déchirement et qu'un départ, et nous avons à nous y préparer sans crainte, avec la joie d'une aventure nouvelle, expérience ultime de l'abandon à l'autre que nous expérimentons au moment de la prière.

Plus je m'abandonne à l'amour, plus je vis l'expérience du mouvement immobile comme une spirale vers la libération de mon ego, mieux j'appréhende l'idée et la réalité de la fin de ma vie. Plus je m'attache à moi, aux expériences éphémères qui participent à mon incarnation, à mes biens physiques, moins je me prépare à accueillir la mort lorsqu'elle frappera à la porte. M'abandonner à la volonté de la vie, c'est m'ouvrir avec joie à toutes les expériences, et la mort en est une. Et m'ouvrir, c'est me donner. Il ne s'agit pas de prendre, de capter, de retenir quoi que ce soit, mais de me libérer de ce qui me lie à mon horizontalité pour me relier à ma verticalité.

L'amour, je ne peux en faire l'expérience seul. Chaque moment de recueillement me raconte que je n'en ai qu'une compréhension minime. Je suis une goutte d'eau, et l'amour est l'océan qui me contient. Lorsque je cesse de vouloir capter, capturer de l'amour à tout prix (et c'est souvent ce que je fais dans mes relations humaines), je me mets en état de le recevoir et je m'installe dans un processus de guérison, car je fais partie de cet océan et j'ai donc accès à l'ensemble de ses « données ».

L'enfant qui se lance dans les bras de son père ne se demande pas si celui-ci va le laisser tomber. Il a une confiance absolue dans l'amour de son père et dans le roc qu'il est pour lui, il a foi en lui. Adultes, nous avons perdu cette confiance, nous avons appris à marchander, à nous méfier, à calculer. Dire à la vie (et le vivre !), dire au dieu que l'on s'est choisi : « Je m'abandonne à toi et tu peux faire de moi ce que tu veux », comme le petit enfant le vit avec ses parents, est devenu très difficile, voire impossible pour certains, car ils ont de l'amour l'idée de ce qu'ils ont vécu : l'amour avec ses limites, comme il se présente dans notre incarnation, l'amour conditionnel, l'amour souvent confondu avec la sexualité, l'amour comme un objet de désir.

Même si cela arrive à certains, la plupart d'entre nous ne reçoivent Dieu, n'entrent en contact avec les forces de la vie, que par intermittence. Il n'y a pas lieu de nous en désoler et de nous mésestimer pour cela : notre faiblesse peut se transformer en un désir profond d'avancer pas à pas vers une libération intérieure.

Avoir confiance, placer ma main dans celle du Grand Autre, avancer en compagnie de l'Intime, mon ami, et cultiver, jour après jour, heure après heure, le bouquet de ma vie. Lorsque je ne trouve pas le temps de m'isoler pour prier (même si je dois apprendre à m'accorder ce temps-là), je peux

Le mouvement immobile me désintoxique,
me réapprend la confiance
et me redonne l'audace de la foi.
Petit à petit.

Il ne s'agit pas de recevoir la lumière
divine comme un coup de marteau
sur la tête !

avoir une pensée vers l'autre. Ça me permet de me centrer, car je garde en conscience que je ne suis pas ma finalité propre et que, dans chacun de mes actes, dans chacune de mes paroles, je dois prendre garde à toujours laisser passer devant moi la vie, l'autre, porteur d'amour et d'espérance. Lorsque je ne serai plus, lui sera encore, et la vie continuera de fleurir sur Terre sans que ma chair y participe. Savoir que j'ai un terme est très important, car cela me permet de rejoindre l'infini, qui ne m'appartient pas mais dont, seconde après seconde, je puis m'imprégner dans la spirale du mouvement immobile, dans l'ouverture de la prière, pour devenir chaque fois un petit peu plus humain. Savoir que j'ai un terme me conduit aussi à l'essentiel : il s'agit de vivre pleinement mon présent, sans le gaspiller, de ne pas remettre à demain ce qui m'appelle aujourd'hui. M'abandonner à la vie, c'est maintenant que je le fais, pas quand je m'en accorde le temps !

Devenir un imprégné d'amour ne signifie pas être un illuminé, simplement être une personne qui, dans chacun des gestes qu'elle pose, prend garde aux autres (et à elle-même), une personne attentive à diffuser autour d'elle plus de lumière que d'ombre, une personne qui s'en remet à plus grand qu'elle-même lorsqu'elle n'en peut plus, ou simplement par plaisir parce qu'elle s'est fait une habitude de tourner vers l'autre son regard. Devenir un imprégné d'amour pour offrir aux autres ce débordement de soi et apporter dans le monde un sourire et un peu plus de joie.

Devenir un imprégné d'amour, c'est vivre pleinement le présent, c'est l'accueillir en moi sans mesure. En fleurissant mon présent de la vie, je soigne les blessures de mon passé et je construis heureusement mon futur. Peu importent les malheurs que j'ai pu subir, peu importe mon angoisse du lendemain : seuls le moment présent et la vie que j'y partage sont un accès à Dieu, à plus grand que moi. Seul le présent peut m'imprégner d'amour.

Pour la route

Le mouvement immobile m'ouvre les horizons les plus larges, et il est bon pour moi de m'imprégner du parfum de son silence. Lorsque je m'abandonne au flux de la vie, je suis en action et au repos : en action parce qu'en moi tout demeure à l'écoute, au repos parce que je passe le relais à plus grand que moi. En action parce que je tourne ma volonté vers l'abandon de moi en l'autre. Au repos parce que je me laisse faire. Je trouve ainsi un équilibre, je crée une harmonie entre l'extérieur et l'intérieur, entre le petit et le grand, entre le créé et l'incréé, entre l'ombre et la lumière.

Au fil de mon quotidien, au fil de mes journées, je peux créer ces petites pauses priées, méditatives, où je me libère de mon stress. Le recueillement est un moment de vacance, un instant privilégié où je me détache de mon activisme, de mon agitation, de mon papillonnage.

Et qu'importe si je n'ai pas le sentiment de vivre une fascinante expérience spirituelle quand je m'installe ainsi au cœur de plus grand que moi !

Lorsque j'éprouve que mes multiples
occupations me distraient trop
de moi-même et du silence nécessaire
à une respiration véritable, il est important
que je m'offre le luxe du mouvement
immobile.

Dans un premier temps, il me permet
de me retrouver, moi. Ensuite, par
le silence habité qu'il génère, il m'offre,
si je suis suffisamment ouvert,
d'entrer en relation avec l'autre.

En entrant en mouvement immobile, je n'ai pas d'autre objectif que de m'offrir, de m'abandonner, sans but, sans objectif, sans performance : m'abandonner simplement à la tendresse du monde et découvrir que l'amour est là, en permanence, à portée de regard, de nez, de doigt, d'oreille, de langue. Que je savoure donc paisiblement ce que la vie m'offre ici et maintenant ! Ce que la vie m'offre, pas ce que je cherche à en tirer. Si j'ai un désir à combler, c'est l'ego qui parle et je serai déçu. Mon seul désir est de m'abandonner à l'autre pour qu'il réalise son désir de moi au creux même de ma personne.

Une relation d'amour où un « je » et un « tu » s'oublient, s'anéantissent de bonheur l'un en l'autre et ressuscitent en un nouvel état d'être par la grâce même de l'abandon sans mesure qu'ils ont fait d'eux-mêmes.

Avant cette joie de l'illumination, avant d'être capable de me perdre pour mieux me retrouver, de mourir pour ressusciter, je peux, pas à pas, seconde après seconde, jour après jour, apprivoiser ma prière, en faire un moment clé de mon quotidien, un rendez-vous privilégié avec Dieu ou avec le cosmos en moi. Avec la vie. Si certains jours je ne suis pas capable d'abandon, il ne faut pas que je m'en sente coupable. Me pardonner mes faiblesses, demander à la Vie de m'apporter ce pardon lorsque j'en suis incapable, apprendre à vivre dans l'accueil de l'ici et maintenant pour résister le moins possible à ce qu'il m'advient.

Le mouvement immobile est une force tranquille qui me rassemble ; par lui, avec lui et en lui, je peux m'imprégner davantage de la vie, de l'harmonie parfaite qui la soutient, je peux ouvrir la porte et accueillir celles et ceux qui viennent vers moi, mes prochains, mes tout-proches : chacun d'eux est un visage universel, une partie de mon propre visage. Chacun d'eux, comme moi, est un pèlerin en route vers la lumière.

Les 18 stations d'un chemin de joie

Ce livre est un chemin parmi tant d'autres. Une promenade vers l'apaisement, vers l'ouverture, vers davantage d'harmonie. Il ne contient pas de recettes miracles… Il est une réflexion, née d'un ressenti, d'expériences diverses dans une vie qui n'a rien de plus que les autres. Il n'est ni un « objet thérapeutique » ni un « discours-vérité ». Une petite porte tout au plus. Chaque chapitre en figure une étape. En voici un récapitulatif pour celles et ceux qui sont pressés et qui n'aiment pas trop de mots.

Du même auteur

Chez Desclée de Brouwer

Avec l'Intime, 2009.
Pont désert, 2010.
Reçois et marche, 2011.
Jolie Libraire dans la lumière, 2012.
Le vieil enfant, 2014.

Chez Grasset Jeunesse

Depuis ta mort, 2004.
Mon pire ami, 2006.
À moitié vide, 2009.
Je voudr@is que tu…, 2011.

Chez Ker Éditions

Les aventures de Bob Tarlouze :
Arrête ton baratin, 2013.
Mise en scène, 2014.
Bons baisers de Kaboul, 2015.
Fais pas l'andouille, 2016.
Un petit pain au chocolat, 2017.

À La Renaissance du Livre

L'Arbre à frites, 2011.

Bart chez les Flamands, 2012.
Les Profs au feu et l'école au milieu, 2013.
Moi, ministre de l'enseignement, 2014.
Papy de neige (illustrations de Sarah Parmentier), 2016.
La semeuse de mots doux, 2017.
Ta mort comme une aurore, 2018.

Chez Marabout

Le bonheur est une valise légère, 2017.

Chez Mijade

La Remplaçante, 1996.
Rue Josaphat, 1999.
Ado blues, 2002.
Monsieur Bonheur, 2003.
La Douce Odeur des pommes, 2003.
Vidéo poisse, 2007.
Le Coupable rêvé, avec André-Paul Duchâteau, 2007.
Tabou, 2008.
Journal de Jamila, 2008.
L'Amour à boire, 2008.
Aurore barbare, 2008.
Rose bonbon, noir goudron, 2009.
Rose afghane, 2012.
La Forêt plénitude, 2013.

Le Stylo, 2014.
Je t'enverrai des fleurs de Damas, 2014.
Voleur de vies, 2015.
Un sale livre, 2016.

Le site de l'auteur
www.andriat.fr

APIER À BASE DE
IBRES CERTIFIÉES

MARABOUT
s'engage pour l'environnement
en réduisant l'empreinte carbor
de ses livres.
Celle de cet exemplaire est de :
300 g éq. CO_2
Rendez-vous sur
www.marabout-durable.fr

Imprimé en Espagne par Liberduplex
Pour le compte des éditions Marabout
(Hachette Livre)
58, rue Jean- Bleuzen, 92178 Vanves Cedex
Achevé d'imprimé en janvier 2018

ISBN : 978-2-501-12464-5
3548402/ 01
Dépôt légal : février 2018